indigrets @ hotmail.com

CW00644657

La memoria

909

Marco Malvaldi

Milioni di milioni

Sellerio editore
Palermo

2012 © Sellerio editore via Siracusa 50 Palermo
e mail: info@sellerio.it
www.sellerio.it

2012 Ottobre quarta edizione

Si ringrazia il «Consorzio del Vino Chianti Classico» per aver autorizzato l'utilizzo del proprio marchio come illustrazione di copertina.

Questo volume è stato stampato su carta Palatina prodotta dalle Cartiere Miliani di Fabriano con materie prime provenienti da gestione forestale sostenibile.

Malvaldi, Marco <1974>

Milioni di milioni / Marco Malvaldi. - Palermo: Sellerio, 2012.
(La memoria ; 909)
EAN 978-88-389-2763-8
853.914 CDD-22

CIP - *Biblioteca centrale della Regione siciliana «Alberto Bombace»*

Milioni di milioni

A Paolo, chiedendogli:
ma come faranno le nave, così pese, a galleggia'?

Lontano risplende l'ardore
mio casto all'errante che trita
notturno, piangendo nel cuore,
la pallida via della vita:
s'arresta; ma vede il mio raggio,
che gli arde nell'anima blando:
riprende l'oscuro viaggio
cantando.

GIOVANNI PASCOLI, *La poesia*

Tanto per dare un'idea

Per capire bene che posto sia Montesodi Marittimo, la cosa migliore è riportare alcuni numeri.

Ottocentododici: è il numero degli abitanti del paese, il che mette gli esseri umani in netta minoranza rispetto al numero di galline (millesettecentoventisei) regolarmente censite in paese. È una fortuna che, con l'eccezione della signorina Conticini, le galline non abbiano diritto di voto, altrimenti in paese molte cose cambierebbero.

Sessantanove: l'età media del paese, la cui distribuzione è ripartita in maniera bimodale intorno a due picchi situati vicino ai settanta e vicino ai quaranta, con una non trascurabile coda nella zona superiore e un singolo ma orgoglioso esemplare oltre i cento.

Ventiquattro: i gradi di pendenza della strada principale di Montesodi, lungo la quale si sviluppa quasi per intero il paesello, e che è soprannominata «la Schiantapetti». Per far capire meglio le implicazioni del dato, è utile ricordare che la salita più dura del Giro d'Italia, il passo del Mortirolo, ha una pendenza massima di diciotto. In questo paese, auto diverse dai fuoristrada sono nient'altro che graziosi mobili su quattro ruote.

Meno diciassette: la temperatura minima raggiunta nel corso dell'ultima settimana del 2011, fastidiosa ma ben lontana dal meno ventidue di cui favoleggia a volte il Castaldi, l'anziano più affidabile in fatto di meteorologia. Il fatto che il Castaldi sia ubriaco come una civetta ventiquattr'ore al giorno, lungi dallo sminuire le sue affermazioni, le avvalora, in quanto è opinione comune che, con tutto il freddo che ha preso il Castaldi, senza un goccetto ogni tanto come fai?

Tre: il numero degli esercizi commerciali nel territorio comunale. Nello specifico essi sono «l'appalto» (edicola/alimentari con annesso distributore di benzina, situato in fondo alla salita), «La Pignata» (ristorante specializzato in agnello, a metà della salita) e «Stellone il grezzo» (bar monomarca, nel senso che serve solo birra Peroni, sito in cima alla salita, in piazza, accanto alla chiesa).

Due: il numero di nascite avvenute nell'ultimo anno solare nel territorio del paese. Si tratta di Jonathan ed Emily Pontypine, figli gemelli di una coppia di inglesi che si erano persi durante una gita in auto nelle campagne circostanti. I due bambini avevano deciso di nascere con due mesi di anticipo dopo che la madre, la signora Gwendolen, uscita con decisione dall'auto, si era inerpicata lungo la Schiantapetti per raggiungere il bagno più vicino.

Un diluvio di numeri, insomma, per un deserto di paese.

Inizio

Ancor prima di arrivare in paese, la strada che porta a Montesodi Marittimo non è di quelle a cui uno possa restare indifferente.

Il tragitto, una volta presa la svolta che indica «Campagnaia-Montesodi M.mo» in un banale bianco su fondo blu che non lascia presagire nulla di quanto vi aspetta, incomincia quasi subito a salire e a snodarsi in modo cocciuto tra i boschetti di lecci; un po' come se volesse dimostrarvi che è troppo facile fare come le strade comuni e cercare il tracciato di minima azione tra le valli che si formano in mezzo alle colline, e che una carreggiata in salute può fare di meglio.

Il percorso, dopo la svolta, diventa un susseguirsi di curve e buche, dove nonostante il fondo stradale sia messo oggettivamente malino le prime sembrano essere più delle seconde; tanto più se, come Piergiorgio Pazzi, soffrite il mal d'auto e contate le curve ad una ad una, come faceva lui in quel momento, cercando di recuperare il fiato e di rimandare giù lo stomaco ad ogni breve tratto rettilineo, augurandosi nel contempo che la sua attività di ricerca a Montesodi Marittimo non cominciasse con una bella vomitata.

Un po' per amor proprio, certo; un po' perché il proprietario dell'automobile che lo stava portando verso Montesodi non sembrava esattamente uno di quelli che l'avrebbe presa bene, se l'infausto evento avesse avuto luogo in macchina.

Il soggetto in questione, un cinquantenne alto, con le spalle larghe, la pancia tonda e l'aria di uno che sarebbe stato in grado di cambiare una ruota a mani nude e senza il cric, era andato a prenderlo alla stazione con un fuoristrada, presentandosi con una stretta di mano e uno sbrigativo «piacerePuntoni»: elementi da cui Piergiorgio aveva desunto che a) l'uomo si chiamava Puntoni e b) lo scontro fisico era l'ultimo modo per avere a che fare con il tizio in questione.

E così, quelle di presentazione erano state le uniche parole che avevano scambiato nel corso del viaggio, fino al momento in cui non erano arrivati alla radura dell'Anguillaia, il Puntoni a seguire la partita della Fiorentina su di una radio locale e Piergiorgio a seguire le evoluzioni simultanee della strada e del proprio duodeno. Arrivati alla radura, e rinfrancato da un tratto di rettilineo un po' più lungo dei precedenti, mentre il telecronista si infiammava di entusiasmo per un fallo laterale concesso ai viola in zona d'attacco Piergiorgio provò a guardarsi intorno, per capire in che razza di posto stesse per arrivare. E la scena che vide lo bloccò.

In mezzo alla radura, a torso nudo nonostante il freddo di gennaio, c'era un tizio alto circa un metro e cinquanta, completamente pelato, con una barba che arrivava alla pancia e con due polpacci che sembravano dei San Daniele: qualcosa che, come primo istinto, già da sola faceva venire voglia di guardarsi intorno per vedere se da qualche parte ci fosse anche Gandalf. Va detto che il tipo stava evidentemente soffrendo: non tanto per il freddo, quanto probabilmente per il tronco d'albero di trenta centimetri di diametro, lungo un buon paio di metri, che il troll in questione reggeva tenendolo in verticale, appoggiato al petto e sulle mani intrecciate all'altezza dell'inguine; e, così tenendolo, camminava a passi faticosi, con il lato destro del viso appiccicato al tronco e le braccia che tremavano, mentre la cima dell'oggettone ondeggiava a ogni singolo appoggio.

Mentre Piergiorgio rimaneva ipnotizzato dalla scena, il Puntoni non gli dette il minimo peso, rimanendo concentrato sulla Fiorentina e sull'evidente difficoltà dei gigliati di riportarsi in situazione di parità, vividamente descritta dall'esagitato cronista. Tanto che, dopo qualche secondo, mentre il fuoristrada procedeva e si lasciava alla targa la scena, Piergiorgio chiese:

– Mi scusi, ma quello lì chi era?

Distratto dagli sforzi della squadra viola, il Puntoni guardò un attimo Piergiorgio.

– Quello lì chìe?

– Quel tizio che portava il tronco.

– È il Bonacci.

Silenzio. Si fa per dire, visto che il telecronista stava ululando come un coyote.

– Ah. E che faceva con quel tronco?

– De', s'allena.

Silenzio. Stavolta sul serio, visto che la Fiorentina aveva appena preso il secondo gol e il telecronista probabilmente si era appena suicidato. Dopo qualche secondo, Piergiorgio azzardò:

– E per cosa si allena, uno che porta in giro i tronchi?

Il Puntoni si girò di nuovo, con aria infastidita.

– De', per la Festa della Panca, s'allena.

E, detto questo, si mise a regolare il volume della radio, dalla quale il risuscitato telecronista informava con mestizia del probabile fuorigioco che aveva viziato la precedente azione, rimettendosi nel contempo a guardare la strada che riprendeva a contorcersi.

Piergiorgio non chiese più nulla fino all'arrivo.

Una volta arrivato in paese, Piergiorgio venne accompagnato a casa Zerbi, dove avrebbe soggiornato per tutto il periodo della propria permanenza.

Casa Zerbi era una delle poche case del paese ad avere più di due piani; quasi tutte le abitazioni che Piergiorgio aveva visto, affacciate di sbieco lungo la Schiantapetti, si erano fatte bastare la combinazione piano terra/piano primo e l'intonaco degli anni cinquanta, una copertura che in origine doveva essere stata color avorio, ma che al momento attuale ricordava un caffellatte ammuffito. Gli unici due edifici che si distinguevano in qualche modo erano il ristorante, grazie alla presenza di un'insegna di legno intagliato su cui campeggiava la scritta «La Pignata», e la casa della signorina Conticini, il cui giardino sfoggiava una singolare collezione di nanetti guardati a vista, invece che dalla canonica Biancaneve, da un madonnone a grandezza naturale con tanto di cuore luminoso intermittente.

In cima alla salita, invece, i pochi edifici che definivano la piazza principale erano su tre piani o più, tutti di epoca anteriore all'ottocento e di una fattura decisamente più accurata. Su tutti spiccava sia per mole che per estetica l'abitazione del sindaco, casa Benvenuti: un palazzone ampio e solido con un portone di ferro battuto che faceva la guardia al palazzo da sopra ad un'ampia scalinata. Fuori classifica, ovviamente, la chiesa, intitolata a Sant'Antonio Abate: un brutto edificio in stile incerto, che risaltava solo per la propria altezza, e che palesava la propria natura di luogo di culto solo grazie a un campanile quasi più brutto della chiesa stessa. Fuori paese, invece, la casa più nobile di tutte, ovvero palazzo Palla, la dimora dei marchesi Filopanti Palla, che si distinguevano dal popolaccio bruto anche territorialmente; palazzo Palla, infatti, si trovava ben al di fuori dell'abitato, poco più in alto della piazza della Chiesa, ma con un buon chilometro di strada sterrata in mezzo.

Sul lato opposto della chiesa, casa Zerbi: un palazzo con una scala di legno e ferro e gli scurini di legno pieno, che si sviluppava su tre piani più una mansarda, solitamente adibita a camera per gli ospiti.

E proprio in mansarda, dopo aver preso possesso della camera e aver ripreso un po' di colorito, Piergiorgio incominciò a tirare fuori dalla valigia i vestiti e tutto quanto gli serviva per affrontare due settimane lontano da casa: occorrente per la corsa, libri, portatile, iPod, eccetera eccetera, ovviamente di gran fretta perché mancava meno di un'ora alla cena di benvenuto e il poveraccio doveva ancora farsi la doccia, la barba e vestirsi.

Mentre Piergiorgio disfaceva, squillò il cellulare. E ti pareva.

Professor Ferroni. Strano, avrei scommesso che fosse mia mamma.

– Pronto Pazzi? Come sta? È arrivato?

– Pronto professore. Sì, sono arrivato. Tutto bene.

– Il paese com'è? Agghiacciante come sembra dalle foto?

– Mah, più sì che no. È un po' diverso da Las Vegas, mettiamola così.

– E come sono i paesani? L'hanno trattata bene?

– Sì, sì. Mi hanno accompagnato… insomma, per ora di persone ne ho viste due. Ammesso che di persone si possa parlare. Uno sembrava un orso vestito, l'altro non lo saprei descrivere bene. Comunque, in forma tutti e due.

– Eh, è per quello che siamo lì – disse Ferroni, assumendo subito dopo un tono da banditore. – «Montesodi Marittimo, il paese più forte d'Europa». La filologa è arrivata?

– Credo di sì. Cioè, mi hanno detto che l'avrei trovata qui ma non l'ho ancora vista.

– Ah, se la vede la riconosce, stia tranquillo. Capelli viola, occhialini ovali e una faccia da normalista che mette paura. Quando abbiamo fatto la riunione di kick-off del progetto ha rotto i coglioni dal primo all'ultimo minuto. Faccia amicizia con i paesani, se vuole un po' di compagnia, perché quella figliola lì a prima vista la vedo piuttosto intrattabile.

Domenica a cena

– Allora. Salve innanzitutto, e buonasera a tutti. Spero che abbiate apprezzato tutti la cena e l'arte culinaria di Stelio, ottima come al solito, voglio dire. Stasera però, oltre alla cucina del buon Stelio, che già sarebbe un motivo valido per stare qui, siamo qui per un altro motivo, ecco, e cioè per dare tutti insieme un caloroso benvenuto ai nostri ospiti.

Il signor sindaco, che di solito si esprimeva in un italiano perfetto, ma che nel corso della cena e dell'immediato dopocena aveva trovato conforto e riparo dal freddo grazie ad un sostanzioso numero di grappini che ne avevano momentaneamente perturbato l'eloquio, fece un cenno patriarcale alla propria destra, indicando Piergiorgio.

– Il dottor Piergiorgio Pazzi, fisiologo, no? del Dipartimento di Endocrinologia dell'Università di Pisa, che è responsabile sul campo della parte biomedica del progetto...

Il sindaco fece un ampio cenno alla propria sinistra, dove stava seduta una ragazza. La tipa in questione era alta, con capelli neri vivacizzati da alcune strisce viola, e portava dei piccoli occhiali dalla montatura di metallo le cui lenti inquadravano due occhi verdi come la speranza di conoscerla meglio che, a discapito di quanto detto dal professor Ferroni, Piergiorgio aveva provato nel momento stesso in cui l'aveva vista.

– ... e la dottoressa Margherita Castelli, ricercatrice di Filologia Romanza della Scuola Normale Superiore di Pisa, che invece si occuperà della parte, diciamo così, genealogica. Il compito della dottoressa, se ho ben capito, sarà quello di ricostruire la discendenza e l'albero genealogico di tutto il paese a partire dall'analisi degli archivi parrocchiali, che nel nostro caso datano a partire dal 1634.

La diversa lunghezza della presentazione, lungi dall'essere dettata da motivi di ostilità nei confronti del Pazzi, era data dal fatto che il sindaco, dopo aver fatto sedere Piergiorgio alla propria destra e la dottoressa Castelli dalla parte opposta, aveva passato più o meno l'intera durata della cena voltato alla propria sinistra, a versare e conversare, ignorando quasi completamente il povero Piergiorgio.

– Questa ricostruzione fatta dalla dottoressa Castelli servirà per accertare in modo ine, ineviq, in modo assolutamente certo i rispettivi gradi di parentela tra ognuno di noi, ecco, e quindi poter attribuire con certezza la provenienza del nostro patrimonio genetico.

Perché, diciamolo, è probabile che il professor Ferroni non avesse tutti i torti nel definire la dottoressa Castelli una normalista frantumatrice di gonadi, ma aveva omesso di riportare il fatto che la sunnominata era veramente una gran bella ragazza. Dall'apparenza nordica, algida e poco amichevole, magari; ma di quel tipo gelido che il maschio medio italiano si immagina come la superficie di ghiaccio che si trova vicino alla sommità di un vulcano in quiete. È freddo fuori, certo, ma solo per le condizioni esterne; dentro, è tutta un'altra cosa.

La serata dedicata agli ospiti era cominciata qualche ora prima, quando i due ricercatori si erano presentati a casa del sindaco, il quale aveva precisato che teneva a conoscerli e a fare gli onori di casa personalmente prima della cena ufficiale di benvenuto, alla quale avrebbe partecipato buona parte del paese. Il signor sindaco – al secolo Benvenuti Armando – si era rivelato un signorotto sessantenne dallo sguardo franco, la schiena diritta e l'aria serena di chi sa di avere tanto, e di esserselo meritato. E, come ogni buon anfitrione, aveva fatto fare agli ospiti il giro della casa. Per prima cosa la zona giorno, soffermandosi davanti al finestrone del salotto e decantando il panorama di cui si godeva, e l'ampia cucina in muratura. In secondo luogo l'esterno, con un belvedere che si affacciava sulla vallata nella sua interezza, alcuni alberi da frutto e il giardino di piante aromatiche, tra cui spiccavano venti diversi tipi di peperoncino e alcuni rarissimi tipi di salvia. Infine, aveva portato gli ospiti nel seminterrato, e mentre apriva la porticina blindata aveva detto con finta indifferenza:

– E qui c'è la parte più importante della casa.

Ora, Piergiorgio si aspettava una cantina, e si era già preparato le parole di prammatica – mamma mia che bellezza, e questa di quando è, quanto tempo ci ha messo per mettere su tutto questo – di quando si visita la collezione di un appassionato senza peraltro capirci un cazzo dell'argomento in questione; ma quelle parole rimasero fortunatamente a riposo, perché la cantina dove li fece entrare il sindaco Benvenuti era una meraviglia. Non per i vini – Piergiorgio non era in grado di giudicare – ma per il luogo in se stesso. La cantina vera e propria, a cui si accedeva tramite una botola sul pavimento, era completamente scavata nel tufo: una stanza di un centinaio di metri quadri piena di nicchie ricavate dalla pietra, con una decina di colonnotti ricavati anch'essi dalla roccia e anch'essi con delle nicchie scolpite, in un tripudio di bottiglie.

Mentre Piergiorgio e la filologa, Margherita, si guardavano intorno, Benvenuti aveva sorriso e aveva preso una bottiglia da una delle tante piccole cavità.

– Questa è per l'aperitivo, e dopo passiamo a prendere quelle per la cena. Stasera siete miei ospiti in tutti i sensi.

– Scusi – disse Margherita continuando a guardarsi intorno – avevo capito che saremmo andati in una specie di trattoria...

– Infatti andiamo alla Pignata – disse Benvenuti. – Qui, sulla salita. Ma le materie prime ce le metto io. In fondo abbiamo degli ospiti di riguardo.

– In che senso?

– Venite, venite. Dovete ancora vedere il meglio.

E, saliti su per le scale, il sindaco chiuse la botola e si diresse verso un'altra porticina di metallo, dall'aspetto asettico. Apertala, fece un ampio cenno con la mano e disse:

– Prego.

Che il sindaco fosse un appassionato cacciatore, i due lo avevano capito nel corso della visita, vuoi per gli armadi a vetri con una decina di carabine in bellavista, vuoi per i due trofei – un cervo e un cinghiale, o meglio, le loro teste – che avevano accolto gli ospiti con sguardo vitreo dal muro nord del salotto. Ma, nonostante questo, Piergiorgio ci mise qualche secondo prima di associare la stanza con il pavimento piastrellato e il lavabo in metallo, con i frigo a pozzetto, con i trofei di caccia: in pratica, ci mise qualche secondo a capire che il signor sindaco aveva una macelleria in casa.

Margherita, invece, lo realizzò immediatamente, sbiancando.

E mentre i due si guardavano intorno senza sapere bene cosa dire, o se fosse il caso di dirlo, il signor sindaco aveva assestato la botta finale:

– Per questo vi dicevo che stasera siete miei ospiti in tutti i sensi. Tutto quello che mangerete a cena – il sindaco si appoggiò una mano sul petto, con eleganza – l'ho ammazzato io. Personalmente.

Le tante cose che aveva detto il sindaco aprendo il dopocena, pur confuso dai fumi dell'alcol, erano tutte esatte; in particolare quella relativa alla cucina dell'ottimo Stelio. Tanto più che un'occhiata al menù, che sembrava inesorabilmente quello della trattoria toscana da tre soldi – «antipasto misto con prosciutto e crostini», «tagliolini al tartufo», «lepre al forno colle patate», il tutto scritto a mano e tra virgolette con un pennarellone su un foglio di carta gialla – aveva abbassato parecchio le aspettative di Piergiorgio.

In più, c'era stato l'incidente diplomatico, quando il padrone e cuoco del ristorante in persona era arrivato a servire l'antipasto al tavolo principale – sindaco, ospiti, consiglieri e persone di una certa qual cultura – e si era accostato alla filologa con in mano un bel piattone di prosciutto toscano tagliato bello erto e di crostini ai fegatelli. La ragazza, voltatasi, aveva alzato una mano e detto in tono gentile:

– Io sono vegetariana.

L'oste, con la destra libera, aveva afferrato la mano della ragazza e l'aveva stretta con entusiasmo.

– Piacere, signorina. Io sono Stelio.

E le aveva stioccato sotto il naso il piatto, con orgoglio.

– Buono, eh, il nostro prosciutto?

Piergiorgio, che aveva liberato la filologa dall'imbarazzo annettendosi il prosciutto con galanteria, annuì con entusiasmo. Parlare non poteva, era a bocca piena. E se anche avesse potuto, non lo avrebbe fatto per paura di disperdere l'aroma. Aroma, anzi aromi, che Piergiorgio non aveva mai sentito tutti insieme in un prosciutto: frutta e nocciole, sicuramente, nella parte magra, mentre il grasso (che solitamente scartava) era roseo e aveva un sentore di affumicato, dolce, gradevole e persistente.

– Io e Stelio si fa sul serio, coi prosciutti. A partire dal maiale, come Cristo comanda. Dall'ultimo mese di vita, oltre alle ghiande, mele e castagne, così la carne si profuma. Poi, tutti i giorni, ogni bestia si spazzola un quarto d'ora con un arnese apposta, di modo che la circolazione si ravviva, e il grasso resta sano.

Quindi, mentre Piergiorgio ruminava, benedicendo tra sé la paradossale ed amorevole cura che l'allevatore degno di questo nome riserva alle sue creature prima di macellarle, il sindaco era andato sul tecnico.

– Poi, quando è pronto, il prosciutto è messo a stagionare nel cucinone, accanto al camino, che è il posto più caldo della casa, e nel camino ci si mettono anche i rami di ginepro. Così il prosciutto prende l'aroma dei rami di ginepro, non delle bacche come fanno i barbari in Garfagnana, che sembra di mangiare lo sciroppo per la tosse.

– Io non capisco come facciate – disse Margherita, sbriciolando un pezzetto di pane. – Povera bestia. Prima frutta, massaggi, coccole. Ci manca solo il bagno caldo. Poi lo portate in uno stanzino, una schioppettata e via, si fa il prosciutto. Pensate a quella povera bestia. Un attimo prima è lì, tutta beata, che si fida, e un secondo dopo...

Il sindaco si risentì visibilmente.

– Signorina, per chi ci prende?

Voltatosi verso Margherita, il primo paesano cominciò:

– Guardi che il giorno dell'uccisione del maiale è una mezza tragedia greca. Ha presente il rituale che c'è dietro?

No, disse la faccia di Margherita, e preferirei restare nell'ignoranza. Ma il sindaco fece finta di non accorgersene.

– Lo sa che per uccidere un maiale si mette su una procedura che coinvolge tutta la famiglia?

– Eh, ci credo – disse Margherita, ormai inviluppata nel discorso. – Mica sarà facile prendere e trascinare una bestia del genere.

Il sindaco sorrise.

– Lei è fuori strada, signorina. Per uccidere un animale talmente grasso da non potersi quasi reggere in piedi, in teoria, basterebbe un uomo da solo.

Margherita guardò il sindaco incredula. Piergiorgio, memore di quanto aveva visto nel pomeriggio, assentì di riflesso mentre il sindaco continuava:

– Il macellaio si avvicina, lo stordisce con il dorso della scure, lo prende per le zampe posteriori, lo aggancia e via, siamo pronti. Una volta appeso, si taglia e si dissangua. Rapido, sicuro, pulito. Allora, perché tutta la famiglia partecipa all'uccisione del maiale, bambini compresi, secondo lei?

Margherita, senza dire una parola, fece un piccolo no con la testa.

– Perché il maiale è un membro della famiglia, signorina. I bambini lo conoscono, lo hanno visto nascere e ci hanno giocato. Il padrone di casa lo ha allevato, massaggiato e visto crescere. Tutte le persone di casa lo hanno visto crescere. Una persona, da sola, non avrebbe mai il coraggio di uccidere il maiale.

Il sindaco lasciò che queste parole decantassero nella coscienza di chi lo ascoltava, poi proseguì:

– Tutti insieme, invece, dandoci forza a vicenda, ce la possiamo fare. E lo facciamo seguendo un rituale, con giorni, ruoli e gesti stabiliti. Un rituale preciso. Non perché siamo dei selvaggi che tentano di propiziarsi qualcosa, ma perché nei momenti di scoramento – e ce ne sono, glielo giuro – uno possa semplicemente attenersi al rituale, e andare avanti.

Margherita guardava il sindaco senza parlare, e questi terminò:

– L'uccisione del maiale è una responsabilità collettiva. E viene compiuta secondo un rituale a cui riferirsi. Perché, altrimenti, le posso garantire che il maiale morirebbe di vecchiaia.

Il discorso era scivolato, da lì, sui rituali e sul loro significato, con la filologa impegnata a tracciare un parallelo tra epoca medievale ed epoca moderna ed il sindaco, man mano sempre più alticcio, che le dava corda con competenza ed educazione ma con lo sguardo sempre meno sugli occhi. In tutto questo Piergiorgio, poco interessato ai discorsi sui riti dei secoli bui, aveva agevolmente smantellato una doppia porzione di tagliolini al tartufo e adesso, con l'aria estatica di un gatto davanti al fuoco, stava finendo di degustare gli ultimi pezzetti di lepre. Tenerissima dentro, e croccante fuori, con il sughetto giustamente bilanciato da delle patatine che rasentavano la poesia; e per far risultare poetica una patata bisogna essere bravi, dovete ammetterlo.

– L'è garbato, via, il leprotto sotto la coppa – disse

Stelio mentre gli prendeva il piatto vuoto. – Ne vòle un altro pochino?

– No grazie, sono pieno. Ho già mangiato anche quello della signorina.

– O signorina Valeriana, 'un l'è garbato il leprotto, che l'ha lasciato a lui?

– No, no – disse Margherita sorridendo – è che la pasta era molta, e io non mangio mai troppo a cena.

– Ora 'un mi dirà mìa che deve dimagrire, vero? – disse Stelio strizzando l'occhio con fare galante. – Al signor sindaco ni garba già così com'è.

– Chetati bischero. Lì c'è la mi' moglie.

– De', la tu' moglie è bòna per ir brodo. Come la mia, del resto. La signorina invece...

– O se tu tornassi in cucina, per esempio? E tu ci portassi il caffè, che fra poco si comincia coi discorsi ufficiali?

Mentre Stelio, tre piatti vuoti per braccio, si allontanava, Piergiorgio chiese lumi:

– Sotto la coppa?

Il sindaco, versandosi un ennesimo e generoso bicchiere di rosso, assentì con forza.

– La coppa, sì. Eh, voi non la conoscete, ma qui è il modo tradizionale di fare il coniglio, o la piccola selvaggina. È un aggeggio di ghisa che sembra un ferro da stiro, di quelli grossi, che usavano le nostre nonne, ha presente?

Piergiorgio fece cenno di no. Il sindaco, già bello imbenzinato, non se ne accorse minimamente.

– Ecco, una cosa del genere, però senza il piano di

metallo in fondo. Si prende il coniglio, si appoggia sul piano di cottura nel forno a legna, e poi ci si mette sopra la coppa.

Il sindaco mimò il gesto di coprire un coniglio immaginario con un grosso ferro da stiro.

– Poi, la coppa sull'esterno viene coperta di brace, così la ghisa si riscalda e cuoce il coniglio. E siccome la coppa, voglio dire, fa da guaina al coniglio, non è come il forno che l'aria intorno si muove, allora ecco che il coniglio si cuoce bene e diventa bello dorato all'esterno subito, così trattiene tutti i succhi e dentro resta morbido. È una cottura tradizionale di queste parti. L'unico modo considerato vero di fare il coniglio. È tradizione, via.

– Ecco, a proposito di tradizioni – disse Piergiorgio – le volevo chiedere una cosa. Che cosa è, esattamente, la Festa della Panca?

Il signor sindaco si illuminò in viso.

– Senti là. E come lo sa della Festa della Panca? (Le maiuscole si sentirono distinte, pur nella sfumatura alcolica che le lettere del sindaco avevano preso già da un pezzo).

– Be', ho visto un tizio oggi pomeriggio che portava a mano un tronco d'albero grosso come un bue, e mi hanno detto che si stava allenando...

– Eh, la Festa della Panca è una cosa bellissima. La facciamo tutti gli anni per Sant'Antonio. È il nostro modo per festeggiare l'anno nuovo. Allora, succede questo...

In quel momento, arrivò Stelio con i caffè.

– Eccoci qui. Così digerite bene bene e fate tutti i vostri discorzi ufficiali.

Il sindaco si fermò sullo iato e guardò il caffè:

– Che ore sono? Mammamia, è tardissimo. Son quasi le dieci. Qui bisogna cominciare, sennò la gente s'addormenta. Via, via, prendiamo il caffè alla svelta e poi si incomincia. C'è chi sta in piedi e chi sta seduto, diciamo noi, e ora è il momento di stare seduti.

E, trangugiato il liquido in un solo sorso, si era alzato in piedi, dando inizio alla parte ufficiale.

Domenica dopo cena

– E adesso, dopo questa interessantissima spiegazione sulla nostra genealogia e sull'interpretazione dei registri parrocchiali fatta dalla dottoressa Castelli, che ringraziamo con un bell'applauso...

Dalle poche persone ancora coscienti arrivò un applauso sgangherato di pura cortesia, che permise al sindaco di fare strada a Margherita e di fare alzare in piedi Piergiorgio.

– ... il dottor Pazzi, qui, ci spiegherà per quale motivo siamo tanto importanti a livello medico e in quali modi intende metterci sotto il microscopio.

Piergiorgio, che fino a quel momento aveva ascoltato Margherita osservando con inquietudine crescente come la palpebra del pubblico si facesse calante, si alzò in piedi, consapevole di dover affrontare l'ostacolo più temuto dagli oratori di ogni tipo.

La platea stordita.

Non quella ostile, la cui inimicizia può essere (e spesso è) causa di scontri accesi e vivificanti.

Non quella plaudente che ride anche quando chi parla racconta una barzelletta dell'epoca Liberty.

Non quella di circostanza che annuisce e fa grandi

cenni di approvazione col capo, tra singoli membri o vicendevolmente tra vicini di posto, mentre pensa allegramente ai cazzi suoi.

No, la cosa peggiore è la platea anestetizzata, addormentata, che non aspetta altro se non che il supplizio finisca e che ci si possa alzare tutti. La platea da quinta ora di scuola, che è stata immersa in una minestra di discorsi per quattro ore di fila ed è satura di equazioni, rivoluzioni e altre informazioni, e non ne può semplicemente più.

Non che avessero tutti i torti, poveracci; per circa un'ora, i circa duecento convenuti alla riunione si erano sorbiti una lezione di filologia sui registri parrocchiali e sull'utilità della loro lettura per ricostruire l'albero genealogico, il tutto con tanto di proiezioni di esempi tipici a mo' di seminario universitario, con l'ausilio del piccolo computer portatile gentilmente messo a disposizione dal Dipartimento di Filologia Romanza. Per seguire la proiezione era stato quindi necessario spegnere la luce, obliterando così l'unica cosa che per un buon numero dei presenti aveva senso di essere guardata, ovvero le michelangiolesche chiappe della filologa, e favorendo così l'abbraccio collettivo con Morfeo.

Prima di provare a dire qualsiasi cosa, una platea di questo tipo va svegliata.

Lentamente, Piergiorgio si avvicinò al centro del tavolo con l'aria di chi sa il fatto suo.

Gli astanti si aspettavano che l'ospite aprisse bocca e cominciasse a parlare; Piergiorgio, invece, cominciò a guardare con attenzione studiata il pesante tavolo fratino di noce su cui lui e altre undici persone avevano cenato. Dopo averlo guardato bene bene, ci mise una mano sopra e chiese a Stelio:

– Quanto peserà questo tavolo, signor Stelio?

La risposta arrivò biascicata:

– Ma so una sega io.

Dopo che le risate si furono smorzate, Piergiorgio insistette:

– Più o meno, via.

– Più o meno seicento chili.

– Benissimo. Adesso, per favore, vorrei che due persone lo sollevassero.

Brusìo.

– Avete capito bene. Vorrei che due persone fra voi si alzassero e sollevassero il tavolo da terra.

Mentre il brusìo cresceva di intensità, dalle sedie si alzarono tre o quattro persone.

– Me ne bastano due, per favore.

E così, dopo un rapido scambio di sguardi, al tavolo si avvicinarono due tizi: uno, il Bonacci, era il troll che Piergiorgio aveva già visto in azione nel pomeriggio. L'altro, che se la memoria non lo ingannava si chiamava Visibelli Palla, sembrava fatto dello stesso materiale del Bonacci.

Posizionatisi ai due capi del tavolo, i due si guardarono le mani, decisero di non sputarcisi sopra presumibilmente per rispetto all'ospite, quindi a un cenno abbrancarono il piano simultaneamente. Uno, due, tre e hop! (o, meglio, uargh), e il tavolo si alzò da terra di una trentina di centimetri, tenuto alto dai due che facevano forza sulle gambe e sugli addominali. Dopo qualche secondo, i quattro avambracci cominciarono a tremare.

A quel punto, Piergiorgio disse semplicemente:

– Grazie.

Un attimo dopo, il tavolo venne lasciato andare di malagrazia.

La botta finì di svegliare anche i tre o quattro ancora in stato catatonico.

Mentre i due si guardavano perplessi, Piergiorgio allargò le braccia e li indicò con un cenno delle mani.

– Ecco perché siamo qui. Perché siete forti. Molto forti.

Prima la sveglia, poi la lusinga. E la platea è conquistata.

– A parte questa piccola dimostrazione, credo vi sia noto che la forza fisica degli abitanti di Montesodi Marittimo è oggetto di leggenda da molti anni, in questi dintorni.

Brusìo. Sullo schermo, la slide presentava una veduta del paese, che si snodava lungo la Schiantapetti.

– Ma, ultimamente, a quest'aura di leggenda si sono aggiunti dei riscontri oggettivi, partiti dal vostro conterraneo più famoso.

Brusìo più rumoroso, a causa dell'apparizione sullo schermo di un ragazzone col collo taurino e due orecchie a sventola più sullo scimmiesco. In tale immagine, tutti gli astanti non mancarono di riconoscere

Antonio Mercialli Palla, detto «la morsa umana», nativo del paese e fresca medaglia d'oro olimpica nella lotta libera; competizione nella quale aveva impressionato, più che per la tecnica, per la paurosa facilità con la quale aveva vinto più di un incontro sbarbando l'avversario dal suolo e proiettandolo di nuovo in terra, facendolo prima passare al di sopra della propria testa.

– E, così, è stato deciso da parte del Dipartimento di Endocrinologia della nostra Università di cercare di capire per quale motivo siete così forti. In particolare, se il motivo sia da cercare nella vostra genetica.

Piergiorgio toccò il computer, e sullo schermo apparve la foto di un bambino di circa due anni che si reggeva in equilibrio su di un braccio solo.

– Alcuni anni fa, in Germania, è nato un bambino con una forza muscolare incredibile, in grado di sollevare pesi di massa maggiore del proprio corpo a quattro anni di età. La causa di questa forza mostruosa è una anomalia genetica del cosiddetto gene MSTN, il quale solitamente contiene le istruzioni per far sintetizzare al nostro corpo una proteina particolare, la GDF-8, detta comunemente miostatina. La miostatina serve per limitare la crescita muscolare del nostro corpo, in concomitanza con altri fattori. È, in sintesi, una specie di mediatore che impedisce che i nostri muscoli diventino troppo grossi.

Piergiorgio mostrò una slide in cui si vedeva uno schema biochimico; roba incomprensibile per i non esperti, ma che conferiva al discorso un'aura di credibilità scientifica proprio per la sua intrinseca impossibilità di essere decodificato dal popolaccio vile.

– Ma nel caso di questo bambino, il gene è alterato, e le istruzioni sono sbagliate. E la miostatina non viene prodotta.

Piergiorgio guardò la platea:

– Quello che ci siamo chiesti è: possibile che a Montesodi succeda una cosa del genere? Possibile che la popolazione del paese abbia un'alta probabilità di avere tale anomalia genetica nel proprio DNA, e che quindi sia questo il motivo per cui sono così forti?

Piergiorgio guardò l'uditorio. Ancora attenti, e visibilmente interessati. Ora veniva la parte più noiosa.

– E così, ci siamo messi in testa di investigare su questo aspetto tramite una serie di test medici su un certo numero di famiglie di volontari del paese.

E, con precisione, Piergiorgio incominciò a spiegare in che cosa sarebbe consistito il suo lavoro. Innanzitutto, partendo dalla metodologia.

L'arco dell'attenzione di un essere umano oscilla mediamente fra i dieci minuti e un quarto d'ora. Se tentate di comunicare qualcosa di didattico per un tempo di durata superiore a questo intervallo, avete bisogno di introdurre un elemento che sorprenda chi vi segue, e lo obblighi in maniera del tutto naturale a concedervi nuovamente tutta la sua attenzione. In un testo scritto, questo può essere ottenuto inserendo all'interno culo di una frase una parola assolutamente priva di coerenza logica e grammaticale con le parole che la precedono e la seguono: in una conferenza, qualsiasi cosa possa giungere inaspettata – salti mortali dell'oratore, proiezione di slide con donne nude, la Merkel che entra in aula in scooter su una ruota ecc. – può fungere alla bisogna in modo eccellente.

Nei precedenti dieci minuti Piergiorgio, dopo un rapido ripasso delle leggi di Mendel sulla genetica, aveva lentamente corroso l'attenzione degli astanti con la descrizione della metodologia con la quale intendeva esaminare la forza e la costituzione fisica dei volontari. Rendendosi conto che la presenza del pubblico cominciava a vacillare, mentre parlava Piergiorgio cominciò a pensare a quale elemento di sorpresa utilizzare per svegliare la gente.

Per fortuna, però, il nostro non ebbe bisogno di fare ricorso a questi mezzi. Appena terminato di leggere l'elenco delle famiglie del paese coinvolte nella ricerca, infatti, Piergiorgio si era chinato sul computer per far partire la slide successiva, ed in quel preciso momento una voce dal buio esplose:

– E chi le ha dato il permesso di esaminare questa gente?

Piergiorgio alzò lo sguardo, mentre dal pubblico si sentì il rumore di parecchie seggiole spostate. La voce era quella di una donna piuttosto anziana, e difatti subito dietro a un gruppo di teste voltate all'indietro si intuiva il volto di una signora che sembrava decisamente vecchia, e indiscutibilmente contrariata. Piergiorgio la riconobbe: era arrivata dopo cena, mentre iniziava a parlare la filologa, e si era seduta in seconda fila su di una sedia vuota, evidentemente riservata a lei.

– Mi scusi?

– Con quale diritto lei va a fare la mappatura gene-tica di queste persone?

– Su base volontaria, signora. Esclusivamente su ba-se volontaria.

La signora fece un rumore sprezzante con la bocca. Piergiorgio, dopo un attimo di silenzio, continuò:

– Prima di far partire il progetto, è stata chiesta la disponibilità di interi nuclei familiari a sottoporsi in mo-do assolutamente volontario, sulla base quindi della espressa volontà di ogni singola persona, ai prelievi e alle visite...

– Ma per cortesia. Non mi parli di assolutamente vo-lontario. C'è gente all'interno delle famiglie che lei ha citato che non si allaccia nemmeno le scarpe se il ca-pofamiglia non è d'accordo.

Involontario assenso da parte di alcune teste, i cui pensieri probabilmente convergevano su Emma, figlia secondogenita del Caproni e organista ufficiale della par-rocchia di Sant'Antonio Abate; la classica ragazza per bene, tanto brava e tanto dolce da sembrare mezza sce-ma, che non si era mai allontanata dal sentiero sicuro che unisce la casa e la chiesa, tranne che per il decoro-so servizio di collaboratrice domestica a casa del sin-daco (giorni pari e festività solenni) e presso casa Zer-bi Palla (giorni dispari), e che si avviava a detta di tut-ti verso un tranquillo e inesorabile zitellaggio a vita.

– Questo non lo posso sapere, signora. Io so solo che quando...

– E allora, visto che non lo può sapere, con quale fac-

cia di bronzo viene qui a metterci sotto il microscopio?
Ha idea dei casini che potrebbe combinare?

Mentre Piergiorgio si guardava intorno, per cercare di capire quanti del pubblico fossero d'accordo con la vecchia pazza, il sindaco si alzò lentamente dalla propria sedia.

Se c'era una cosa che Piergiorgio invidiava alle persone, era l'autorità: quella vera, che si acquisisce nel corso di una vita, e che non si compra coi soldi, ma viene dalla piena consapevolezza da parte degli altri, amici parenti o sconosciuti, che i tuoi gesti e le tue parole pesano come macigni. E il modo calmo e dignitoso in cui si alzò Benvenuti diceva esattamente questo.

Dopo che si fu alzato, nel silenzio generale, il sindaco parlò:

– Vorrei solo far presente a tutti che siamo stati scelti per uno studio che potrebbe avere una grande importanza. Ne abbiamo discusso in consiglio comunale, e abbiamo deciso di collaborare con la ricerca scientifica in modo democratico. Da quando sono nato, e da prima ancora, le cose si fanno in questo modo. Se qualcuno non ha ancora passato abbastanza tempo in questo paese da capire come vanno le cose, nessuno lo trattiene qui.

Ci fu qualche secondo di silenzio imbarazzante. Quindi, con una dignità appena inferiore a quella del sindaco, la vecchia signora si alzò in piedi, restò immobile un momento guardandosi intorno e poi, con decisione, si avviò verso l'uscita. Qualche secondo dopo, passando tra le seggiole a schiena bassa, un uomo sulla cinquantina la seguì a passo svelto. La porta d'ingresso sbatté, e si sentì una voce maschile da fuori dire in tono incerto:

– Mamma, aspetta... ma dove cavolo... mamma, Cristo!

Poi, la porta sbatté una seconda volta. E, se non la calma, tornò il silenzio.

– Mi volevo scusare per questo piccolo incidente a nome di tutto il paese.

Dopo l'interruzione, Piergiorgio aveva ripreso la conferenza parlando a velocità doppia rispetto a quella standard, e alla fine qualcuno gli aveva rivolto una o due domande di pura cortesia. Poi, gli astanti avevano abbandonato la sala non senza prima essersi fermati a salutarsi tutti gli uni con gli altri, e a salutare Piergiorgio e Margherita.

Il sindaco, tornato evidentemente sobrio dopo l'imprevisto, stava porgendo il piumino all'ospite mentre si apprestavano a uscire dal ristorante. Piergiorgio fece un sorriso di circostanza e rispose:

– Si figuri. Sono cose che capitano. Uno non può mica controllare tutte le persone del paese, anche se è il sindaco, no?

– No, quello no. Ho le telecamere sparse per tutto il bosco, ma quelle sono per la selvaggina, non per gli uomini. E, anche a vedere quando un uomo si comporta male, mica gli posso sparare. A parte le implicazioni morali, voglio dire, spenderei più di cartucce che di benzina per il fuoristrada.

– Ci manca solo che tu incominci a sparare alla gente, Armando, dai – disse con un sorriso infreddolito la signora Viola, ovvero la moglie del sindaco, involtolata in una pellicciona di zibellino che da sola doveva costare più del fuoristrada stesso. – Già siamo quattro gatti, mettiti anche a eliminare qualcuno.

– Pochi ma buoni – ribatté il sindaco, ridacchiando. – Lo ha detto anche il dottore, prima. Va be', dai, adesso è meglio che la accompagni a casa. Nonostante tutto, credo che stasera la signora la farà entrare in casa lo stesso.

– In che senso?

– Eh, nel senso che... ma non l'ha riconosciuta, la signora?

– Armando – disse la signora sindachessa, col tono paziente che spesso le mogli usano col marito in presenza di estranei – il dottor Pazzi è arrivato oggi pomeriggio. Annamaria era da me per il bridge. È tornata a casa verso le otto. Non credo che abbiano fatto in tempo a presentarsi.

– Quando hai ragione hai ragione, cara. Be', comunque adesso si sono presentati, dai.

– Mi scusi, continuo a non capire – disse Piergiorgio, e mentre lo diceva si rese conto che invece aveva capito benissimo. E lo stesso sindaco glielo confermò:

– Quella là che le vociava dietro, prima, è la sua ospite. La signora Zerbi Palla. La persona dalla quale starà a dormire per le prossime due settimane. Brava donna, per carità, ma è una di quelle che deve sempre dire la sua, ha presente?

Domenica notte

Una volta lasciato davanti al portone di casa Zerbi, Piergiorgio infilò la chiave nella toppa cercando di fare meno rumore possibile.

Dato l'esordio, non gli sembrava il caso di irritare nuovamente la vecchia stronza andandola a svegliare; già di regola le vecchiette acide hanno il sonno leggerissimo, una così come minimo si svegliava per il rumore che faceva il gatto passeggiando. Quindi, meglio essere prudenti.

Prudenza inutile, però, perché pur aprendo il portone con movenze Sioux Piergiorgio si rese conto che all'interno del salotto c'era una persona che stava guardando la televisione. Mentre richiudeva, ne sentì la voce:

– Dottor Pazzi?

– Sì, sono io. Buonasera, signora.

E, nonostante tutto, Piergiorgio ritenne suo dovere passare dal salotto a salutare la vecchia; un po' perché Piergiorgio era una persona educata, ma non solo.

Seduta davanti alla televisione, con il volume azzerato, la signora Zerbi si girò verso Piergiorgio e gli sorrise in modo lievemente stanco, ma tutto sommato sincero.

– Ah, dottor Pazzi, buonasera. Forse è il momento che ci presentiamo da persone civili. Io sono Annamaria Zerbi.

– Piacere. Piergiorgio.

E, come un'oretta prima, fu la Zerbi a prendere la parola, anche se stavolta lo fece in modo gentile:

– Sono sinceramente dispiaciuta di averla assalita, poco fa. Spero di non averle rovinato la serata.

Dopo un attimo, Piergiorgio decise che era il caso di accettare il ramoscello, e rispose sorridendo anche lui.

– Be', c'è di buono che avevo già mangiato, quindi non mi ha rovinato la cena. Quello glielo avrei perdonato difficilmente.

La Zerbi aggiunse un dente al proprio sorriso.

– Si mangia bene da Stelio, vero? Una cosa che non ci si aspetterebbe in un paesino perso fra i lupi come questo. Io, purtroppo, non ne posso più approfittare; ho qualche problemino al cuore, e devo stare a regime.

– Niente di troppo grave, spero.

La Zerbi alzò le spalle (munite di sciallino regolamentare da vedova) e sospirò.

– Lei è un medico, quindi mi perdonerà se non gliene parlo. Mi direbbe cose che so già, e che non voglio sentirmi ricordare. Comunque no, spera male. È per questo che sono arrivata dopo cena, stasera. Già è difficile cenare con la frittatina di bianco d'uovo e la carota grattata, dover sopportare anche un centinaio di persone che si sbafano la lepre sotto la coppa sarebbe stato sinceramente troppo. Forse, però, era meglio se non venivo del tutto.

– Ma no, si figuri. Può succedere che capitino dei litigi, alle conferenze. Ai congressi, ho visto di peggio.

Non era vero, ma la Zerbi ne sembrò rincuorata.

– Meno male. Adesso che le posso spiegare, mi sento già meglio. Vede, lei mi ha spaventato parlando di analisi genetiche che andranno a studiare intere famiglie. Studiare e, in certi casi, anche sconvolgere.

– In che senso, scusi?

La Zerbi distolse lo sguardo per un attimo, prima di continuare.

– Siamo in Toscana. La patria dei proverbi. Lo sa qual è il proverbio più popolare di questo paese? «Le corna e chi se le piglia, son la pace della famiglia».

– Ah.

– Capisce, ora, cosa mi ha spaventata? In questo paese, più o meno un terzo dei bambini hanno il cognome sbagliato. Son cose che in certi casi si sanno, in altri si sospettano, in altri ancora si ignorano. Ed è meglio che la gente rimanga ignorante, a volte.

E la Zerbi si zittì, rivolgendosi di nuovo al televisore muto, che illuminava la stanza di lampi incoerenti.

Piergiorgio si sentì in dovere di spiegare:

– Signora, capisco la sua preoccupazione. Lei ha paura che nel corso dei test noi scopriamo dei figli illegittimi. La capisco, ma la devo anche rassicurare. È una cosa talmente importante che lo stesso protocollo ci impone di farci attenzione.

– Capisco. C'è la legge sulla privacy.

– No, il discorso è un po' più complicato. In ricerche collegiali di questo tipo, anche negli esperimenti che coinvolgono genitori e figli, i campioni sono anonimi. O meglio, vengono anonimizzati in modo correlabile rispetto alla linea ereditaria. Se io prelevo una serie di campioni alla famiglia, che so, Bigazzi, al laboratorio che riceve i campioni non arriva una cartella con scritto «Sangue del Bigazzi e dei figlioli, o almeno si spera», ma arriva una cartella anonima in cui viene identificato il campione del padre, della madre e dei figli, senza nessuna ulteriore indicazione. Quei campioni lì potrebbero essere di qualunque famiglia del paese composta da padre, madre e due figli. Chiaro, si eseguono una serie di test per stabilire se i due figli siano biologicamente figli di quel padre, ma quando si trova il corno... – Piergiorgio fece il gesto di appallottolare un foglio e di tirarlo via – si elimina il campione, e stop. E si ferma la successione genealogica da quel punto in poi. Non è che si telefona alla famiglia e si avvisa il cornuto di comprare il randello nuovo. E se anche volessimo non potremmo farlo, perché non sappiamo come si chiami il becco in questione. Per noi è il capofamiglia della famiglia 1, non il Bigazzi.

– Ha fatto uno dei pochi esempi su cui metterei la mano sul fuoco, guardi – disse la signora Zerbi ridacchiando, con lo sguardo sempre al televisore. – Ce ne sono altri su cui potrei dirle di non stare nemmeno a fare i prelievi.

– Perché lo sa tutto il paese?

– Perché lo so io. E anche tutto il paese, in certi casi. Ma non tutti. Le piacciono i tuffi?

Piergiorgio non capì; poi, dopo un'occhiata, vide che il televisore era sintonizzato su di una gara di tuffi dalla piattaforma.

– Non particolarmente. E a lei?

– Abbastanza.

– Appassionata di sport acquatici?

– Non mi dispiacciono –. Ridacchiò, cambiando tono. – Diciamo che, alla mia età, è una buona scusa per ammirare dei bei ragazzoni muscolosi in mutande.

Piergiorgio ritenne opportuno non distogliere lo sguardo dal televisore.

– D'altronde, anche mio marito aveva un fisico perfetto. Guardi, giudichi lei.

Dopo qualche attimo di silenzio, la signora fece un cenno verso una foto in una cornice su di un tavolino. Si vedeva la signora stessa, una quarantina di anni prima – sempre la stessa faccia da giudice per le indagini preliminari, solo lievemente addolcita dalla giovinezza – a cavallo di una moto, in compagnia di un giovane a torso nudo con due orecchie a sventola che facevano provincia, ma che per il resto sembrava scolpito dal Bernini.

– Quello lì, sulla moto. Alberto.

E il modo in cui la signora disse «Alberto» fece capire a Piergiorgio che era meglio deviare su qualcosa di piacevole, prima che la poveretta incominciasse a piangere.

– E quello lì accanto è suo figlio? – disse, andando sul sicuro, indicando la foto di un bimbo con in bocca un ciuccio e attaccati al capo due padiglioni da fiera campionaria, in tutto identici a quelli del povero Alberto.

– Esattamente. Giulio –. E il tono in cui la signora lo disse fece pensare a Piergiorgio di avere, forse, sbagliato tattica. Con quella misteriosa fiducia che spesso, ed erroneamente, i maschi ripongono nella propria dialettica, il nostro insistette sulla stessa strada.

– Somiglia al padre.

– Solo nei difetti.

E qui, chetarsi era l'unica strategia possibile.

Mentre Piergiorgio si atteneva alla regola benedettina, concentrandosi sul video dove un ragazzino con una scacchiera al posto della pancia stava prendendo posto lentamente sulla cima della piattaforma, la signora Zerbi continuò, dopo qualche istante:

– Mio marito era buono, generoso, incapace di fare del male a qualcuno. E un gran lavoratore. Non era una cima, anzi, ad essere sinceri era un po' stupidotto, ma a me non importava. Sei scolpito nel marmo, gli dicevo spesso, anche dal collo in su. E lui rideva. Gli piaceva, questa cosa dell'uomo forte e cavernicolo. E Giulio – disse la signora Zerbi, con un sospiro – è uguale a mio marito. Dal collo in su.

La signora restò un attimo pensosa, mentre il ragazzino nel frattempo si era posizionato sulla verticale, le braccia tese e il viso apparentemente tranquillo e decontratto.

– L'unica cosa che riuscivano a fare insieme senza litigare era andare a caccia. Per il resto, è meglio lasciar perdere.

E senza oscillare, spingendosi per quel che le braccia potevano, giù. Il ragazzino fece in tempo a fare due capriole in aria in posizione raggruppata, prima di aprire il corpo e di affondare nell'acqua come la lama di un coltello.

Piergiorgio, che come tutti i maschi era rimasto ipnotizzato dallo sport in televisione qualunque esso fosse, riuscì a staccare gli occhi dal televisore solo dopo che furono apparse le valutazioni dei giudici, rendendosi conto che alle pareti erano appesi diversi trofei di caccia.

– Mi sembra di capire che in questo paese sia una passione comune. Sa che cosa mi ha detto il sindaco prima di andare a cena?

– Me lo immagino. La stessa cosa che dice a tutti gli ospiti quando si va a cena alla Pignata, o a casa sua. «Tutto quello che mangerà stasera, l'ho ammazzato io personalmente». Quando lo disse a me, io gli risposi: «Ha ammazzato anche la polenta?». Fu l'inizio di una bella amicizia.

E la signora Zerbi sospirò, in ricordo dei bei tempi andati.

– Poi le cose sono cambiate?

– Un po', sì. Ma non per colpa di nessuno dei due. Sono cose che succedono, nella vita. E Armando è una gran persona. Un gran lavoratore, e uno degli uomini più onesti che si possano immaginare, anche se è fissato con la caccia. Si figuri che ora lo vogliono far diventare anche senatore.

– Senatore?

– Eh sì. Lui è di quel partito là che dovrebbe essere dei democratici, e ultimamente hanno avuto dei problemi con chi gli gestiva la cassa. Allora si sono messi in cerca di gente che sia risaputa essere onesta e capace, in modo da mandarli a Roma a scaldare le panche e votare con la schedina invece di stare qui a far le cose ammodo. Onesta e capace, merce rara. Il buon Armando comunque lo è, di questo non c'è dubbio. Lo metteranno in graduatoria ai primissimi posti, alle prossime politiche, pare.

– Capisco. Un uomo forte che viene dal paese degli uomini forti. Lei, invece, non è di qui, se ho capito bene.

– Si vede così tanto, che sono debole e malmessa? Comunque no, non sono di qui, come ha fatto notare così gentilmente il signor sindaco prima. Io sono napoletana, e di cognome faccio Acierno. Ma ormai quel cognome me lo sono scordato, qui mi chiamano tutti signora maestra, anche se non insegno più da tanto di quel tempo...

La signora Zerbi scosse la testa.

– E anche altre cose mi scordo, della mia città. Come l'educazione. Nemmeno le ho offerto qualcosa. Le va un caffè?

– Lo zucchero lo prende?

– Sì, grazie.

Decisamente, in cucina la signora Zerbi era più a suo agio che in salotto. Piergiorgio, invece, no.

Il salotto arredato vecchio stile, con i tavolini stracarichi di portafoto, ninnoli, porcellane e altre amenità poteva sopportarlo, anche grazie alla enorme libreria carica di volumi promettenti, che avrebbe provveduto a depredare nottetempo in caso di insonnia. Per quello, casa Zerbi era una goduria.

Per quanto riguardava la cucina, non esattamente. Arredamento, stato dei fornelli (pulitissimi, ma con quella patina malinconica dell'oggetto tecnologico fuori tempo che a Piergiorgio metteva il malessere), contenitori pieni a metà di spezie millenarie, con cartoncini scritti a mano, che si indovinavano mai usate o in disuso da tempo. E la signora Zerbi che aveva preso il caffè macinato da un barattolo con la scritta «Sale», e adesso stava immergendo il cucchiaino in una zuccheriera di metallo che doveva essere più vecchia della casa.

Dopo aver messo lo zucchero nella tazzina vuota, la signora la appoggiò sul piano della macchina espresso e premette un pulsante, non senza una certa difficoltà. Mentre il caffè sgorgava, prese un piattino con un cucchiaino e lo mise accanto alla macchinetta; quindi porse a Piergiorgio un bicchiere con due dita di acqua.

– Lo zucchero prima del caffè?

– Come si fa a Napoli. Va messo prima del caffè, sennò rovina la cremina che si forma in superficie. E, visto che la vedo inesperto, glielo dico subito: l'acqua va bevuta prima. Così la bocca si pulisce bene di tutte le schifezze e l'aroma resta più a lungo.

Mentre Piergiorgio sorseggiava, la signora gli mise davanti il caffè.

– L'unica volta che ho portato mio marito a Napoli, gli avevo detto che nei bar della città di solito il caffè viene servito già zuccherato, e siccome lui lo beveva amaro lo avevo messo in guardia. Se lo vuoi amaro, chiedilo prima.

La Zerbi, che si era seduta, si rialzò per mimare meglio la scena.

– E allora lui, nel bar più antico del Vomero, al caffettiere dice che vuole il caffè senza zucchero. E il caffettiere lo guarda un po' stupito, ma esegue. Gli porta l'acqua, il caffè, e mio marito senza battere ciglio prima si beve il caffè, e poi l'acqua. Il caffettiere lo guarda posare il bicchiere, poi lo guarda negli occhi e dice «Pure!». E va via.

– E ci credo. Un affronto in piena regola.

La signora scosse la testa di nuovo, mentre Piergiorgio finiva il caffè. Che, a dispetto del barattolo e della macchinetta, era semplicemente fantastico. Poi, mentre posava la tazzina, gli venne in mente una cosa.

– Mi scusi, signora. Se ho capito bene, lei vive qui da molto tempo.

– Direi. Quasi sessant'anni.

– E quindi conosce tutte le tradizioni del paese.

– Può dirlo forte.

– Ah, bene. Mi spiega cos'è la Festa della Panca?

Una settimana dopo

Narrano le cronache di fine ottocento che il marchese Aspasio Filopanti Palla, all'epoca il più ricco possidente di Montesodi Marittimo, fosse un gran cacciatore, un mangiatore di tutto rispetto e un notevole gaudente, o, come diremmo al giorno d'oggi, un grandissimo trombatore; ma questi aspetti, al momento, non ci interessano.

Le cronache narrano anche come, d'abitudine, il marchese si presentasse a messa con una buona mezz'ora di ritardo, cosa che del resto faceva suo padre il marchese Anacleto, e desse per scontato che il servizio religioso potesse avere inizio solo dopo che il signor marchese e la sua famiglia fossero stati presenti in chiesa; il nobiluomo soleva infatti uscire dalla propria casa all'ora in cui il campanile della chiesa iniziava a rintoccare, raggiungendo la chiesa in lenta processione formata dalla consorte signora Mafalda, dal figlio primogenito Arcibaldo e dalla figlia Amarillide, e prendendo posto sulla prima panca a destra di fronte all'altare insieme al resto della famiglia, mentre la panca di sinistra, per tradizione, rimaneva vuota. A quel punto, il popolo si metteva a sedere e la messa poteva finalmente cominciare.

Così aveva fatto anche per la solenne messa dell'Epifania dell'anno di grazia 1878, che vedeva all'esordio in gara ufficiale il nuovo parroco del paese, don Icilio Diotallevi, un giovane appena uscito dal seminario inviato dalla curia in paese in seguito all'improvviso decesso di don Dante Benedetti, il precedente guardiano delle anime di Montesodi, che aveva reso l'anima a Dio proprio a casa del signor marchese, stroncato da un colpo apoplettico mentre veniva servita l'ottava portata del cenone di capodanno.

Il signor marchese, quindi, era uscito di casa al rintocco della campana ed era arrivato in chiesa alle undici e ventisette in punto, per scoprire con sommo disappunto che il parroco in sua assenza si era portato parecchio avanti col programma e in quel momento stava dando inizio all'omelia, tra la confusione e lo stupore di metà dei fedeli (ancora in piedi) e la devota attenzione della seconda metà (bene a sedere). Con sdegnosa nobiltà, il marchese aveva fatto dietrofront e si era diretto alla propria magione.

Il giorno diciassette gennaio dello stesso anno, qualche ora prima di iniziare la celebrazione solenne per Sant'Antonio Abate, ovvero il santo patrono del paese, il parroco aveva ricevuto una lettera consegnata a mano dal fattore delle tenute Palla. Nella lettera si rendeva noto al signor parroco che, da un numero di anni superiore a quelli con cui si misurano le cose umane, nella parrocchia di Sant'Antonio Abate le celebrazioni solenni avevano inizio solo quando la persona più importante del paese, e cioè il marchese Palla, aveva potuto prendere posto a sedere con comodo sulla panca a lui riservata.

Don Icilio, ricevuta la lettera, attese fino alle undici in punto, con la chiesa gremita; quindi, dato ordine al campanaro di suonare per la messa, uscì dalla sagrestia ed entrò dritto sparato in chiesa. Mentre il turiferario, tremando non solo per il freddo, si dirigeva verso l'altare, don Icilio scartò verso sinistra e andò davanti alla panca riservata alla famiglia del signor marchese; quindi, dopo averla guardata con evidente schifo, narrano le cronache che il parroco si sia chinato ed abbia abbrancato il sacro arredo con forza, portandolo all'altezza del petto. Quindi, a passo lento e risoluto, il prevosto era uscito dalla chiesa dirigendosi verso palazzo Palla.

Accompagnato in una strana processione a forma di goccia fino a palazzo, il parroco era giunto sul piazzale antistante la scalinata dell'edificio proprio mentre il marchese Aspasio, in clamoroso ritardo sulle proprie stesse abitudini, usciva dal portone. E sul piazzale, di fronte al nobiluomo, il parroco aveva lasciato andare con fragore la panca, aveva ripreso fiato un attimo (anche i parroci sono uomini) e aveva detto con voce udibile fino alla pianura:

– E questa è per il sedere del signor marchese.

La tradizione popolare sostiene che, nel voltarsi, il religioso abbia anche aggiunto a voce più bassa delle indicazioni più specifiche sull'utilizzo del mobile, nelle quali il sedere del signor marchese veniva comunque coinvolto; ma, di questo, nelle cronache ufficiali non c'è traccia.

– Questa è la storia – disse Piergiorgio. – Per quanto riguarda la cronaca, eccoci qui.

E Margherita annuì.

I due erano a Montesodi ormai da una settimana, ed erano arrivati proprio nel periodo in cui, nel giorno di Sant'Antonio Abate, si svolgeva la manifestazione più importante del paese.

Di fronte a loro, in chiesa, con indosso una specie di tunica bianca da frate che arrivava quasi ai piedi, una decina di orchi umani stava in solenne attesa, ognuno inginocchiato ad una panca; alla vita, invece del cordone, quasi tutti questi omoni portavano una cintura da sollevatore di pesi, con il rinforzo dietro la schiena.

Intorno, la chiesa era gremita.

Nonostante la fitta nevicata, parecchie centinaia di persone erano arrivate a Montesodi per la Festa della Panca. Come tutti gli anni.

E, come tutti gli anni, alle undici in punto, le campane rintoccarono.

Al rintocco gli energumeni si fecero il segno della croce, si alzarono in piedi e, con un urlo, abbrancarono la propria panca.

La tecnica era identica per tutti: dopo averla issata sul lato corto, i pancanti si accovacciavano di fronte all'oggetto in una posizione simile a quella di partenza di un sollevatore di pesi. Quindi, con una sequenza simile allo strappo, i partecipanti si portavano l'estremità della panca all'altezza dell'inguine, abbassandosi e divaricando le gambe in posizione sagittale; a quel punto si alzavano lentamente in piedi, tenendo la seduta ben ancorata con le mani, appoggiandola saldamente al petto e al volto. Poscia, ci si volta e si parte, per uscire dalla chiesa: una parte cruciale, perché il portale della chiesa è angusto e ci passa solo una panca per volta. Chi lo imbocca per primo ha un vantaggio non da poco sull'ultimo. Una volta usciti dalla chiesa, c'è la processione: un chilometro da fare a piedi con un peso di un centinaio di chili addosso. Tutto ciò, rispettando due sole regole: vietato tirare la panca addosso agli avversari, vietato bestemmiare finché ci si trova all'interno della chiesa. Pena, in entrambi i casi, la squalifica.

Chi arriva per primo alla fine, sul piazzale di fronte a palazzo Palla, posa (si fa per dire) la panca oltre la linea d'arrivo e così facendo acquisisce il diritto, appena ripreso fiato, di urlare in modo intelligibile la stessa frase che don Icilio disse nel 1878. Vince chi dice per primo la frase, non chi posa per primo la panca.

Mentre gli umanoidi partivano verso il portone, gli spettatori cominciarono a uscire dalle porticine laterali, per guadagnare una postazione privilegiata lungo le transenne che delimitavano il percorso. E così fecero anche Piergiorgio e Margherita, che dopo il momento topico del passaggio del portone ricominciarono a parlare.

– Dev'essere lo stesso marchese Palla che ho trovato io nell'archivio.

– Sì, il titolo nobiliare aiuta. Qui uno su cinque si chiama Palla. Tutti parenti?

– Eh, viene proprio dallo stesso marchese Aspasio – ridacchiò Margherita. – Come dicevi prima, il tipo doveva essere un discreto alzagonnelle. Ho trovato nell'archivio che nel 1879 don Diotallevi confessò il marchese, e in seguito a quelle che lui definisce «strazianti richieste d'aiuto che gli sgorgarono dal petto dopo che ebbi ad amministrargli la penitenza necessaria ad ottenere il perdono divino» lo stesso marchese riconobbe la paternità dei sei figli naturali avuti negli anni precedenti, e che da quel momento poterono portare il suo cognome, unito a quello della famiglia di riferimento.

Piergiorgio ridacchiò.

– Boia. Alla faccia del parroco. Te le immagini le strazianti richieste d'aiuto? Deve avergli rotto qualche dito, come minimo. Ma davvero ci sono scritte anche queste cose nei registri parrocchiali?

– Tutto. A parte l'anagrafe, anche le notizie eccezionali o in qualche modo rilevanti per la vita del paese venivano riportate. Guarda che l'ho detto anche la sera della presentazione, ti ricordi?

Ero troppo occupato a guardarti il culo, avrebbe dovuto rispondere Piergiorgio se fosse stato sincero. Lo fu a metà.

– Ero un pochetto teso perché dopo dovevo parlare io.

– Davvero? Sembreresti un oratore nato.

– Sai, è anche questione di pratica...

– Un tubo, questione di pratica. Conosco persone che

insegnano all'università da vent'anni, e quando devono parlare a un congresso si portano dietro il Lexotan. Certe cose non le impari, e non le insegni. È genetica, dai, riconoscilo. Tu dovresti saperle queste cose. E invece, della storia della panca come lo sai?

– Me l'ha raccontato la Zerbi. La padrona di casa.

– Ah, la vecchia stronza. Siete diventati amiconi, dicono.

– Aha.

– E quindi ti ha raccontato tutta questa storia.

– M-mh.

Nel frattempo, il Bonacci si stava staccando con relativa facilità dagli altri pancanti e stava prendendo il largo, nonostante la falcata strettina, o probabilmente grazie a essa, poiché essendo alto come un idrante riusciva a mantenere il baricentro dell'insieme troll-panca più vicino al suolo, a farlo oscillare di meno e quindi a fare meno fatica.

– E quindi da allora tutti gli anni fanno questa festa?

Piergiorgio si riprese e ricominciò a rivolgersi a Margherita, pur continuando a guardare il Bonacci.

– No, questo è rimasto un singolo episodio per parecchi decenni. Poi, durante il fascismo, venne mandato in paese un parroco tutto esaltato per Mussolini, che spesso durante le prediche parlava del regime, e di Benito in particolare, in termini estatici. Capirai, qui metà del paese è anarchica. Così una volta, all'ennesima sparata su quant'era forte il duce, alcuni dei fedeli il giorno dopo andarono dal prete e gli fecero uno scherzo. In pratica, si inventarono che in quel paese c'era una festa religiosa tradizionale, che prendeva spunto dall'episodio bla bla bla, e la organizzarono per Sant'Antonio Abate. Così nella prima edizione, negli anni '30, che non era fatta a gara, una decina di questi gorilla glabri fecero una processione e portarono le panche a mano, una per persona, fino al piazzale del marchese. Arrivano, posano le panche, e poi il più anziano della ghenga si volta verso il prete e gli dice: «Ora chiama Mussolini a rimette' tutto a posto, così si vede quant'è forte. Intanto, finché le nostre panche son qui, noi in chiesa 'un ci si viene, perché 'un si saprebbe dove sedessi».

Margherita ridacchiò. Nel frattempo, il Bonacci aveva preso un vantaggio consistente sugli inseguitori, e stava arrancando verso la vittoria.

– Una vera e propria prova di fedeltà alla Chiesa. Mi immagino che la vecchietta ti ci abbia fatto una testa così, con queste storie.

– Ma ti dirò, si è rivelata molto meglio di quanto poteva sembrare al primo impatto. Sa un casino di cose, fra l'altro.

– Sì, me l'hanno detto. So che è stata la maestra del paese per un sacco di anni. Sembra anche una tipa dinamica.

Stavolta fu Piergiorgio a ridacchiare.

– Altro che dinamica. Guarda, l'altro giorno mi si è presentata a casa con un portatile. Un MacBook Air, di quelli sottilissimi. Così, mi ha detto, per vedere un po' di mondo. Le ho impostato Internet, le ho fatto la casella di posta elettronica, e fin lì. Poi le ho insegnato a usare YouTube. Impazzita come una bambina. Ora è il delirio. E Piergiorgio, come si fa a vedere se questo libro è scaricabile? E Piergiorgio, mi cerchi se ci sono i Concerti Brandeburghesi fatti da Goebel? E Piergiorgio...

– Non ti lamentare, per carità. Te almeno hai una persona normale come padrona di casa. Sai cosa mi ha detto la Conticini l'altro giorno? «Signorina, mi dia retta. Se si concia i capelli in quella maniera costì, ci credo che a ventisei anni ancora non ha marito». L'altro giorno mi voleva portare a dire il rosario in chiesa.

– Il rosario in chiesa? Credevo non lo facesse più nessuno.

– Sì, povero illuso. Qui fanno le squadre. La Conticini, la moglie del sindaco, la sua domestica... – mentre elencava, Margherita accennava col mento alle figure in questione, che seguivano lo sforzo dei pancanti con orgoglio.

La moglie del sindaco era facile da individuare, dato che aveva addosso un vestito che sarebbe sembrato leggermente troppo vistoso ad Ascot. Più difficile individuare la sua domestica, la già nominata Emma Caproni, una ragazza che sarebbe anche stata bellina se non avesse avuto quell'aria da cane in castigo, e che seguiva la strana processione pseudoreligiosa con l'aria compunta di chi si deve comportare bene in pubblico. Impossibile discernere la signorina Conticini, che era alta circa un metro e quaranta e in mezzo alla folla non aveva nessuna possibilità di emergere, a meno che non si fosse messa una fioriera in testa come la moglie del sindaco. Cosa che, peraltro, non sembrava nel suo carattere.

– ... e la signora Calderoni Palla – finì Margherita indicando col mento la proprietaria dell'edicola, una vecchietta simpatica che quando Piergiorgio andava a comprare il giornale beccava sempre intenta a leggere i fumetti. – Loro sono le titolari. Poi, a volte, entrano in squadra anche le riserve, ma senza di loro la novena non parte. Hanno le loro preferenze, poi. La signorina Conticini, per cominciare, ha bisogno dello yogurt. La nutella non le va bene.

Piergiorgio annuì, guardando verso il fondo del piazzale, dove i due pastori ufficiali del gregge di Montesodi Marittimo attendevano l'arrivo della gara, per poter benedire le panche in ordine di arrivo e ringraziare il signore che anche quest'anno nessuno dei pancanti si fosse fatto male nonostante avessero fatto di tutto per farsi esplodere un'ernia.

In piedi malgrado l'età, anche se vagamente tremolante, don Benvenuto Baldassarri aspettava il momento di aspergere le panche per poter poi tornare in chiesa a celebrare la messa e, infine, a immergersi in uno di quei bei pisolini da due orette e mezzo che, a ottant'anni suonati, costituivano uno dei massimi piaceri della vita. Accanto a lui, alto, solenne e con l'aria sdegnosa del principe a una gara di rutti, c'era il suo coadiutore, padre Kenenisa Bekile, mandato dall'Etiopia via Roma a dare man forte a don Benvenuto nell'accudire il gregge, in attesa di ereditarlo quando l'anziano pastore titolare fosse tornato alla casa del Padre.

– Certo che è bello – disse Margherita a bassa voce.

– Chi?

– Padre Nutella – specificò Margherita, sempre in sordina. – Oltretutto, devi ammetterlo, risalta. Guardati intorno. Fra pancanti e pubblico, sembra di essere a una sagra del trattore.

– Mah, sarà anche bello. Di sicuro è antipatico.

– Solo perché corre più veloce di te?

E quello era poco ma sicuro.

Nel primo dei suoi allenamenti mattutini a Montesodi Marittimo, Piergiorgio era uscito di casa bardato di materiale ultratecnico di ultima generazione e, dopo qualche allungamento, si era avviato lungo il sentiero che circondava il paese al ritmo più che dignitoso di quattro minuti e mezzo al chilometro.

Dopo una ventina di minuti, mentre controllava per l'ennesima volta il cardiofrequenzimetro, aveva avvertito un'altra presenza dietro di sé, e si era voltato improvvisamente.

A una decina di metri, stava arrivando un tizio tutto nero. Fuseaux neri, giubbotto nero, guanti neri, berretto di lana nero. Solo il viso era color cioccolata. E i piedi, che calzavano scarpe arancione fosforescente e accarezzavano l'asfalto senza fare il minimo rumore, terminando lo slancio quasi all'altezza del sedere del tizio.

Tizio che, dopo aver affiancato Piergiorgio, lo salutò come ogni corridore saluta un compagno di sofferenza mattutina e si involò per la sua strada.

Dopo qualche metro, Piergiorgio provò a mettersi al suo stesso ritmo, tanto per vedere a quanto andava. Dopo una trentina di secondi scarsi, avendo raggiunto la velocità di tre minuti e trenta al km senza peraltro riuscire a mantenere invariata la distanza che lo separava dalla schiena del tizio in questione, Piergiorgio riprese il proprio ritmo, non senza fiatone.

Scoprire che in quel paesino dimenticato da Dio c'era uno che correva parecchio più veloce di lui era stato lievemente fastidioso.

Venire a sapere in seguito che il tizio in questione era un prete, per motivi inspiegabili ma comprensibilissimi, era stato parecchio peggio.

– Anche. Anche perché corre più veloce di me. Ma non solo, dai. Un po' antipatichetto lo è. Guardalo lì, mai che sorrida una volta che è una. Dimmi te se per una scena del genere non c'è da sorridere.

In effetti, Piergiorgio non aveva tutti i torti. Di fronte ai due preti, con parecchie decine di metri di vantaggio, era ormai giunto il Bonacci, volto paonazzo, braccia tremanti e cranio imperlato.

Al di là della linea, il Bonacci aveva lasciato andare al suolo con perizia la panca, che si era abbattuta a terra in posizione corretta. Dopo qualche attimo di affanno, e dopo essersi guardato indietro per accertarsi di avere tutto il tempo, il Bonacci si era tolto il cinturone con le braccia che ancora tremavano, e alzandolo al cielo aveva riverito a voce alta il sedere del signor marchese, prolungando la «e» finale della parola «marcheseeeee» in un urlo di giubilo, mentre i suoi compaesani scoppiavano in un applauso entusiasta.

– Ha i suoi buoni motivi, guarda – disse Margherita. – In questi giorni gli ho parlato spesso. Anche lui è un po' un pesce fuor d'acqua. Era a Roma fino a non molto tempo fa. Ha due lauree, in filosofia e in teologia. E lo hanno mandato qui a contare le galline. Vorrei vedere te, a rimanere isolato qui.

– Eh, ci sta che lei non debba aspettare tanto – disse alle sue spalle una voce nota. E, voltandosi, i due videro il signor sindaco, che scrutava il cielo con aria cogitabonda.

– In che senso, mi scusi? – disse Piergiorgio, mentre Margherita guardava a sua volta il cielo, ma col viso rivolto da un'altra parte.

– Questo è di nuovo cielo da neve – sentenziò il sindaco, senza abbassare il viso. – E non lo dico solo io, lo dice anche il centralino meteorologico. Se viene giù tutta quella che promette, mi sa che per qualche giorno da qui non si muove nessuno. Bene, allora – proseguì cambiando tono, apparentemente indifferente alla figura di merda appena fatta dalla filologa – anche quest'anno ha vinto il Bonacci. Ora, dopo la messa, ci toccherà di festeggiare. Siete miei ospiti anche oggi a pranzo, sapete?

– Allora, fatta la pace tra lei e la Zerbi Palla?

A bocca piena, più per educazione che per entusiasmo, Piergiorgio annuì. Quindi, posata la forchetta con precauzione sul piatto – autentica porcellana

Wedgwood, mica robetta – aspettò di finire il boccone prima di rispondere.

– Ma sì, dai. Una brava donna, tutto sommato. È stata la maestra del paese, mi diceva.

– Eh sì. Sì sì, proprio. Per quasi trent'anni. E ha fatto un buon lavoro, niente da dire. Sia in classe, che fuori. Ce ne sono che sono nati qua, figli di contadini, e che poi si sono laureati, sa? E tutto grazie alla signora Zerbi Palla. Carattere di merda, a volte, eh. Ma una gran donna. Quando pensa una cosa, la dice. Certo, poi, la famiglia che si è ritrovata non è che abbia aiutato. Ancora un po' di capriolo?

– No, grazie. Senza complimenti – disse Piergiorgio, con sincerità.

Quello era il genere di pranzo che, in assoluto, detestava di più. La disposizione della tavola era, per quanto poteva giudicare, perfetta – piatti di gran pregio, due ordini di bicchieri e di posate, tovaglia stirata direttamente sul tavolo. Il trionfo della Perfetta Padrona di Casa. Peccato che all'apparecchiatura da ambasciata fosse stata abbinata una cucina da trincea. Risotto con la salsiccia e capriolo con crauti e polenta; quel tipo di pasto che se lasciato un attimino troppo sul fuoco (come in questo caso) ti si ancora al fondo dello stomaco e va disincagliato a forza di grappini.

– Insomma, le dicevo, un caratterino di quelli spigolosi, a volte – disse il sindaco, versandosi il primo di quella che prometteva essere una lunga serie di interventi digestivi. – C'era solo il povero Alberto che la sapesse tenere in riga. Nel senso buono, mi intenda. Le voleva un bene dell'anima, Alberto, alla moglie. La trattava come una regina.

– De', n'ha fatto anche tanto di corona – disse Stelio, ospite alla cena in qualità di consigliere comunale. – Peccato si sia scordato una vocale per la via.

Risate generali, che sorpresero Piergiorgio.

– Cioè, in pratica il povero Alberto...

– Il povero Alberto le voleva un bene dell'anima, alla moglie – disse il sindaco, la mano stesa in avanti a fugare ogni possibile dubbio. – Ma era un uomo, anche lui, insomma.

E la mano si voltò a palmo in su. Dopo un sorsetto, il sindaco riprese:

– Era un po' farfallone, via. E di notti fuori casa ne ha passate. Ma le voleva un gran bene, a sua moglie. E lei a lui. Altri tempi, insomma; Alberto era un uomo un po' di una volta, e le cose le intendeva in un certo modo.

Piergiorgio annuì, per niente convinto. Margherita invece si era estraniata dalla conversazione in modo tattico parecchi minuti prima, probabilmente per non dire nulla di compromettente, e adesso stava mandando e ricevendo messaggi col cellulare senza che nessuno si accorgesse della sua presenza. Altri tempi, davvero.

Mentre Emma toglieva i piatti, la signora sindachessa si era posizionata di fronte al tavolo con le mani una sull'altra.

– Gradite un caffè? – chiese con un sorriso.

Caffè, sì. Ci vuole proprio.

– I problemi, per la Zerbi, son venuti col figlio, più

che altro. Giulio, credo lei l'abbia conosciuto. Ecco, lei che studia la genetica me la dovrebbe studiare, questa cosa: com'è possibile che un figliolo prenda i difetti del babbo e quelli della mamma. Perché quel figliolo c'è riuscito in pieno, eh. Forte come la mamma, e furbo come il babbo.

– Però di cinghiali ne prende più di te – disse ridacchiando il Buccianti, stimato commerciante di barbatelle e consigliere comunale anch'egli, soprannominato in paese «l'assessore alla miseria» per via della sua ben nota tirchieria.

– Grazie al cazzo – ammise il sindaco con eleganza – con quella tenuta che ha, vorrei vedere. Li prenderebbe Stevie Wonder i cinghiali.

Poi, voltatosi verso Piergiorgio, ritenne opportuno spiegare.

– Quando s'era giovani, anche con suo padre, e si andava a caccia nella tenuta loro, c'era da tornare a casa con l'Apino –. Un pizzico di nostalgia andò ad addolcire le parole del sindaco. – Pieno così di cinghiali e di daini. Un posto favoloso. Favoloso. C'eravamo fatti il capanno sull'albero, come Cristo comanda. E anche quando si andava a caccia con Alberto si tornava sempre pieni, è vero, ma quello che chiappava di più era il caro vecchio sottoscritto.

– Altri tempi – sentenziò il Buccianti, versandosi una generosa dose di idraulico liquido.

– Altri tempi sì – ammise il sindaco, mentre Emma posava sul tavolo il vassoio coi caffè. – Ma non perché c'è meno bestie in tenuta. Anzi, tutto al contrario. C'è una bestia di troppo –. Pausa. Il sindaco assaggiò il caffè, con prudenza, e poi lo finì in un singolo sorso. Quindi, subito dopo, riprese, versandosi una generosa dose di amaro nel bicchiere e una ancora più generosa nell'eloquio. – Abbiamo il signorotto che chiude gli ingressi e ci deve andare solo lui, a caccia nella sua tenuta. A caccia da solo. Se la vedesse su' padre, una cosa del genere, s'apposterebbe in cima al capanno e gli sparerebbe a sale.

– Ma ho visto che ora vorrebbero aprire una nuova riserva – disse Piergiorgio, tentando di inserirsi nel discorso «caccia» con l'educazione degli incompetenti totali, visto che d'altra parte non c'era verso di parlare di argomenti un filino più culturali e che Margherita, dal canto suo, continuava a fare lo shiatsu al telefonino. – Lì vicino al ruscello, dove la strada…

– Ah, lei vuol dire l'azienda di Rolando Giaconi – disse il sindaco con sufficienza. – Quella è una roba per turisti. È una cosiddetta azienda agrituristico-venatoria, il che vuol dire, detto in soldoni, che le bestie sono di allevamento, non sono lì allo stato di natura. Vai con un accompagnatore dell'azienda che si nasconde nel bosco e a un certo punto, quando vede che hai finito di rispondere al telefonino, ecco, ti lancia il fagiano, o la quaglia, e te gli spari. Fagiano di allevamento, con le piume belle lustre, così viene meglio quando ti fai la foto. Poi, se vuoi, paghi un altro tot e te la spiumano, e magari così la puoi anche mangiare. Insomma, non è caccia, è tiro al piattello; solo che al posto del piattello tiri agli animali veri. Roba da bastardi. Com'è fuori, Emo?

71

Il Buccianti, che aveva tirato fuori dalla tasca uno smartphone di ultimissima generazione, stava scuotendo la testa preoccupato.

– Qui dice neve per le prossime ventiquattr'ore.

– E ti pareva. Via, allora... – il sindaco si alzò in piedi, lievemente di malumore – ... signori ospiti, mi dispiace, ma dobbiamo riunire il consiglio comunale in seduta straordinaria. Se va avanti così, scusate il francese, siamo nella merda.

Tanto per dare un'idea

Milioni di milioni, furono i fiocchi che caddero nel corso di quella sera e della notte sul territorio del comune di Montesodi Marittimo. Tutti diversi l'uno dall'altro, i fiocchi, e tutti ugualmente entusiasti di perdere la propria identità per andare a fondersi in un unico, inesorabile e compatto tappeto bianco.

Poiché però tale numero, nella nostra epoca precisa al bosone, potrebbe sembrare privo di significato scientifico, non sarà inutile fornire altre cifre per aiutare a capire le conseguenze dell'evento.

Centododici: lo spessore medio in centimetri del manto nevoso sul territorio comunale alle dieci della sera di domenica, con estremi variabili dai due centimetri scarsi nel cortile del Castaldi (il quale, munito di pala e soprattutto di fiaschetta, aveva sgombrato il proprio territorio in un paio d'ore) ai trecentonove e spiccioli accumulati dal Visibelli Palla con il proprio trattorino davanti al portone della chiesa con la scusa che lì è l'unico posto dove non dan fastidio, come se non si sapesse che quel miscredente del Visibelli ha della religione organizzata la stessa visione che doveva avere Josip Stalin.

Tre: i giorni di isolamento totale del paese dal resto del mondo, a causa dell'interruzione dell'unica strada che porta al centro abitato, senza contare i due giorni in cui il paese è rimasto suddiviso in due tronconi, la parte alta separata da quella bassa per mezzo di una allegra moltitudine di cumuli bianchi.

Duemilatrecentosessanta: i singoli elementi di rosario sgranati nel corso della nottata per chiedere a Nostro Signore una pronta liberazione dalla morsa della neve, parzialmente o totalmente controbilanciati dalle novecentosettantanove bestemmie rivolte al medesimo indirizzo da parte di quelli che, nel frattempo, facevano qualcosa per davvero al fine di liberare il paese dal gelido manto.

Seicentonovantasei: le piante di olivo morte in seguito alla gelata. Ci sono state, oltre a questa, altre perdite di rilievo imputabili alla neve, e nell'ordine:

– perdita delle chiavi di casa della moglie del sindaco, scivolate dalla borsetta e cadute nel ghiaino del giardino di palazzo Filopanti Palla la mattina di domenica, nel corso dei festeggiamenti, e inesorabilmente occultate dalla bianca coltre;

– perdita del segnale del digitale terrestre da parte di tutti i televisori del paese, ivi incluso quello del bar di Stellone, proprio la sera in cui la Fiorentina giocava in casa contro la Juve, con conseguente chiusura anticipata del bar;

– perdita di euro settantanove transitati dalle tasche di Stelio a quelle del Buccianti nel corso della partita di poker col morto conseguente alla notte passata per cause di forza maggiore a casa del signor sindaco, visto che le magioni di entrambi erano irraggiungibili;

– perdita della verginità di Gregoretti Susanna, residente nel limitrofo comune di Campagnaia, impossibilitata a tornare al proprio paese dopo aver visto la Festa della Panca in compagnia del fidanzatino Nicola Maneschi Palla e quindi ospitata a casa Maneschi per la notte, durante la quale il fidanzato è andato in camera degli ospiti a recarle conforto e da cosa nasce cosa, si sa.

Con questi numeri, lungi dal fornire dati definitivi, si vuole solo chiarire per quali validi motivi, la mattina dopo la nevicata, molte persone in paese si svegliarono con uno stato d'animo parecchio diverso dal solito.

Lunedì mattina

Quando Piergiorgio aprì gli occhi, era già sveglio da un pezzo.

Una delle cose che a Piergiorgio piacevano di più era svegliarsi da solo prima dell'ora stabilita, e rimanere sotto le coperte in uno stato di dormiveglia a pensare alla giornata che lo attendeva (se piacevole) o alla serata trascorsa; se entrambi i frangenti erano stati o promettevano di essere orribili, rimaneva a crogiolarsi sotto le coperte senza pensare assolutamente a nulla, cosa che gli riusciva solo in quei rari momenti, quando gli capitava di fregare la sveglia. E così, puntualmente, aveva fatto.

La serata era stata abbastanza punitiva: era tornato a casa sotto la neve, verso le cinque, avendo in programma una sessione di lettura con tè caldo per favorire il transito del pranzo, con occasionale sbirciatina alla neve che cadeva fuori. Purtroppo, la cucina della signora sindachessa (o di Emma, Piergiorgio questo lo ignorava) si era rivelata decisamente riottosa alla digestione, e nel corso del pomeriggio la salsiccia del risotto, dopo essersi alleata con i crauti, aveva preso possesso dell'apparato digestivo di Piergiorgio e aveva scagliato un'azione di guerra lampo contro l'intestino del nostro, che aveva da principio spaventato con un fitto lancio di bombe e granate, prima di devastarlo con raffiche incessanti.

L'unica cosa rimasta invariata nel programma di Piergiorgio, quindi, era stata il tè caldo, che gli aveva fatto anche da cena.

Anche la mattina che gli si prospettava non era così esaltante: un po' perché era lunedì, e nel calendario biologico di Piergiorgio raramente i lunedì erano accolti con favore. Ma soprattutto perché quella mattina gli toccavano otto visite con prelievo di sangue, di cui due a bambini. Uno di cinque e uno di sette anni. In quei casi, Piergiorgio cominciava con le storielle. Dopo, se non funzionavano, si passava alle bolle di sapone. Se nonostante questo l'infante continuava ad urlare, era il momento della minaccia a denti stretti – se ti muovi quest'ago ti si rompe nel braccio e poi le seghe te le devi far fare dal prete – che veniva pronunciata a denti stretti subito dopo aver allontanato la madre dalla stanza con affabilità, e che aveva effetti immediati sia per la parte comprensibile che per quella non immediatamente afferrabile da un pargoletto innocente. In ogni caso, comunque, ogni prelievo a un bambino era uno stress.

Per cui, Piergiorgio era rimasto sotto le lenzuola a godersi semplicemente il loro tepore ruvido, prima di alzarsi e di dirigersi in salotto a fare colazione. Di solito, caffè e merendine industriali di marche sconosciute, comprate apposta per l'ospite, e che inducevano un ulteriore senso di tristezza. Stamani, solo caffè. Quello, almeno, è una meraviglia.

Sceso dalle scale, Piergiorgio notò con sorpresa che il televisore era già acceso. E questa era una stranezza: la signora Zerbi accendeva il televisore solo dopo cena, e fortunatamente era una grande utente di gialli. La mattina, mai.

La seconda stranezza era che la signora Zerbi era in poltrona, la mano diafana appoggiata sul bracciolo e le gambe stese sul pouf davanti alla seduta: di solito, la signora accoglieva Piergiorgio in cucina, con il giornale squadernato davanti, gli sorrideva e andava verso la macchinetta espresso senza dire una parola, avendo capito già dal primo giorno che Piergiorgio non era in grado di emettere suoni di senso compiuto prima del caffè.

La terza stranezza era che la signora era a bocca aperta.

E questo, da una signora come la Zerbi, era veramente inspiegabile.

O, meglio, era spiegabile solo in un modo.

Modo che si accordava perfettamente con altri particolari, come il pallore lievemente più accentuato del viso e la totale rilassatezza dell'espressione facciale.

Piergiorgio, rallentando il passo, si avvicinò alla poltrona. Poi si chinò.

Lentamente, mise il piccolo specchietto dalla cornice argentata che stava sul tavolino sotto le narici della signora.

Nulla.

Poi, per abitudine, pose due dita di fianco alla trachea, dove la carotide avrebbe dovuto pulsare.

Nulla.

Mentre sollevava la palpebra della signora, per puro scrupolo, squillò il telefono.

Evidentemente, toccava a Piergiorgio andare a rispondere. Sperando che non fosse il figlio, prese il telefono in mano.

– Pronto?

– Pronto. Mi scusi, cercavo la signora Zerbi Palla.

Piergiorgio si guardò intorno.

– Sì. Il problema è che la signora non può rispondere...

– Capisco. Mi può fare un favore?

– Certo.

– Allora, dica alla signora che ha chiamato Pezzanera. A causa della neve, non posso raggiungere Montesodi. L'appuntamento di oggi deve essere rimandato. Se ci sono problemi mi faccia richiamare. Ha capito?

– Certo. Non c'è problema.

Dopo aver riagganciato, Piergiorgio si guardò intorno.

Solo, era solo. La Zerbi nel fine settimana stava completamente da sola, ed Emma arrivava per le pulizie solo verso le nove. E ora erano le sette e un quarto. Toccava a lui.

Lentamente, riprese in mano il cordless.

Chi si avverte in questi casi?

Numero uno, i parenti.

So come rintracciare il figlio? No.

Numero due, le autorità.

Piergiorgio premette vari pulsanti, senza logica né convinzione.

E, dopo quello che aveva visto, Piergiorgio non aveva nessuna voglia di rimanere in quella casa da solo.

La casa del sindaco, fortunatamente, si affacciava sulla piazza dove rimaneva anche casa Zerbi.

Dopo essere uscito, Piergiorgio si diresse verso la piazza. Intorno, mucchi di neve da ogni parte, e due persone che spicconavano un ammasso immane di ghiaccio davanti al portone della chiesa, mentre un piccolo trattorino guidato dal Visibelli stava manovrando intorno alla piazza, spostando e schiacciando dei gran mucchi bianchi friabili.

Con cautela, Piergiorgio passò sulle impronte di ghiaccio appena formate dalle ruote, e andò a suonare a casa del sindaco, inerpicandosi con una certa fatica su di una collinetta candida. Dopo qualche istante, il sindaco si affacciò alla finestra.

– Buongiorno. Visto che casino?

– Vedo, vedo.

– Venga, venga in casa. Passi pure di qua. Siamo isolati, caro mio, isolati. Dalle sei di ieri in paese non si può più uscire, né rientrare. Abbiamo ricominciato a spalare da poco, ma ieri sera siamo stati qui in piazza fino alle undici. Poi è mancata la luce, abbiamo dovuto aspettare che tornasse il giorno – spiegò il sindaco mentre Piergiorgio scavalcava il davanzale. – Comunque, un paio di mani in più ci fanno comodo. Oggi niente analisi, mi sa. Vuole un caffè?

– Sì, grazie. Stamattina, fra una cosa e un'altra, non l'ho preso.

Andarono in cucina. Che, come il resto della casa, e in stridente contrasto con l'esterno del paese, era in perfetto ordine. Mentre Piergiorgio cercava il momento e il modo giusto per dire la cosa, il Benvenuti aveva incominciato ad aprire gli sportelli.

– L'unica cosa è trovarlo, il caffè. Questo è il regno della mia signora, io non ci metto mai piede. Faccio casino e basta, secondo lei. E siccome ora lei non c'è, tocca profanare il tempio.

– Non è in casa?

Benvenuti scosse la testa.

– Ma lasci perdere. Ieri, quando abbiam finito il consiglio, noi siamo andati in taverna a telefonare alla gente e a decidere il da farsi, no? Vien fuori che anche la parte bassa del paese è tagliata fuori da quella alta, perché verso le otto hanno tentato di raggiungerci e non ci sono riusciti. Intanto le donne sono andate in chiesa, a dire il rosario, per chiedere alla Madonna la grazia di liberarci da tutto 'sto bordello; fatti loro, io penso a fare il mio. Insomma, mentre siamo lì arriva il Visibelli col trattorino e inizia a sgomberare le case. E quel genio, non sapendo dove mettere la neve, inizia ad accumularla davanti al portone della chiesa, facendo finta che alle dieci di sera in chiesa non ci sia nessuno. Ooh, eccolo qua.

Il sindaco estrasse da uno sportello un cilindro di metallo smaltato, e andò verso la macchinetta.

– Dopo due ore, mi chiama la Viola e mi dice che sono bloccate in chiesa e che non si apre nessuna porta. E intanto la luce è andata via, e tutta quella neve ha fatto un blocco di ghiaccio davanti al portone. Morale della favola, ora stiamo aspettando che liberino quello per far uscire 'ste disgraziate. Ma mi voleva dire qualcosa di preciso?

– Sì, purtroppo sì. È meglio se si siede.

La tazzina ancora piena, il sindaco scosse la testa.

– Ci mancava anche questa. Povera Annamaria. Va bene, facciamo il nostro dovere. Chiamo un paio di persone e andiamo.

Per fortuna, il sindaco aveva pensato da solo ad avvertire anche il maresciallo Zandonai, che fra l'altro era uno dei due picconatori. Il figlio della signora Zerbi Palla, Giulio, non era stato possibile rintracciarlo: al cellulare non rispondeva e la casa era oltre la zona raggiungibile. Tutti insieme – Piergiorgio, il sindaco, il maresciallo e il dottore – si ritrovarono nel salotto della signora Zerbi Palla, dopo essersi scrollati la neve di dosso in cucina, simultaneamente, con un riflesso automatico. Dopo averle preso il polso dolcemente, il dottor Biagini guardò Piergiorgio con i suoi occhi seriosi, che insieme alle guance cascanti gli davano un'aria da cane compito, come un grosso bassotto educato:

– La signora stava male da tempo. Aveva dei grossi problemi cardiaci, principalmente alla valvola mitralica, e con il suo stato fisico non era in grado di sostenere una operazione chirurgica. Poi, l'età... – disse il dottore, rialzandosi. – Beh, comunque, credo che pagheremmo tutti per andarcene così.

Il dottore cominciò ad apparecchiare il tavolo con il certificato di constatazione del decesso, e mentre toglieva il cappuccio alla stilografica disse:

– Comunque, bisognerà trovare il modo di avvertire Giulio.

Mentre il dottore stendeva bene il lenzuolone ufficiale e gli altri due annuivano, la voce di Piergiorgio arrivò stonata.

– Io non credo.

– Come, scusi? Lei non crede che sia il caso di avvisare il figlio?

– Scusatemi, non mi riferivo a quello. Stavo rispondendo a quello che ha detto il dottore prima. Io non ci farei la firma, ad andarmene come la signora.

Il dottore sollevò la testa, guardando Piergiorgio in modo un po' più sul bulldog. Piergiorgio, respirando profondamente, accennò verso la poltrona.

– Per favore, guardi la sclera.

Il dottore, con fare da segugio, si accostò alla poltrona e sollevò la palpebra della signora Zerbi, mentre gli altri si voltavano. Osservò l'interno dell'occhio per qualche secondo, poi si voltò a guardare Piergiorgio.

Solo per un attimo, ma stavolta lo sguardo aveva qualcosa del pitbull.

Piergiorgio fece un ultimo tentativo purché non toccasse a lui dire la cosa in modo esplicito.

– La signora non soffriva di pressione alta, a quanto ho capito.

Sempre guardandolo, il dottor Biagini fece lentamente di no con la testa.

– No, proprio no. Tutto il contrario.

Il sindaco sbottò:

– A me invece la state facendo venire, la pressione alta. Cosa cavolo succede?

Ignorando il sindaco, il dottore si chinò sul viso della Zerbi e sollevò il labbro superiore, per un attimo. Quindi, fece la stessa cosa per il labbro inferiore, più lentamente.

– Ci sono i lividi – disse, guardando Piergiorgio, che annuì. Poi, rivolgendosi al sindaco, il dottor Biagini incominciò:

– La signora presenta alcune emorragie petecchiali all'interno della sclera. In più, ci sono segni tipici, delle ecchimosi, sulla mucosa delle labbra, causate dalla pressione dei denti in seguito all'occlusione forzata delle vie aeree. In parole povere...

Il dottore guardò Piergiorgio senza parlare. Mi ci hai messo te in questo casino, sembrava dire. Poi, dopo aver sospirato, terminò.

– ... la signora Zerbi Palla è stata soffocata.

Descrivere i cinque minuti che seguirono sarebbe un'impresa troppo grossa anche per uno scrittore serio; per cui, spero che il lettore comprenderà se chi scrive se la caverà dicendo che per qualche minuto, nel salotto della signora Zerbi, l'aria si fece pesante.

Il sindaco, dopo aver guardato dalla finestra per parecchi secondi con l'aria di chi deve sempre fare i conti con sei o sette casini alla volta, guardò il maresciallo Zandonai, che fino a quel momento non aveva detto una singola parola.

– Alvise...

Il maresciallo guardò Piergiorgio a sua volta.

Piccolino, ben rasato, con lo sguardo vacuo, il maresciallo Zandonai prese la cosa con apparente serenità.

– Da quante ore è morta, secondo voi, la signora?

Piergiorgio e il dottore si guardarono. Io non parlo per primo nemmeno se mi tiri qualcosa, ringhiarono gli occhi del dottor Biagini. Piergiorgio, vuoi per zelo vuoi per non dover guardare negli occhi nessuno, prese dalla borsa del dottore un piccolo termometro auricolare. Con tutta la delicatezza possibile, lo inserì e attese il responso, che il termometro annunciò con un bip entusiasta, gaiamente indifferente alle tragiche circostanze che lo avevano richiesto.

– Trenta e due. Siamo in un ambiente chiuso, qui ci saranno una ventina di gradi... dalle sei alle dieci ore circa.

Il maresciallo guardò Biagini alzando entrambe le sopracciglia.

– Assolutamente d'accordo.

Il maresciallo sospirò, guardando anche lui in un'altra direzione.

– Capisco. Quindi, tra le dieci e le due di stanotte.

Il silenzio, se possibile, divenne ancora più greve. Le parole del maresciallo lo ruppero in modo pacato e definitivo.

– La cosa migliore da fare è verificare dove si trovassero le persone stanotte. Incominciamo a farlo con discrezione, come se volessimo sincerarci delle loro condizioni, e che non abbiano avuto troppo a patire per la nevicata. Lo faremo separatamente, Armando, io e te, telefonando tutti e due a ognuno dei raggiungibili. E poi vedremo il da farsi.

E mentre il maresciallo parlava, Piergiorgio guardò il sindaco negli occhi, e bastò per capire.

Dalle sei alle dieci ore. Dalle dieci alle due della notte.

Ma il paese, il sindaco prima lo aveva detto chiaramente, era rimasto isolato a partire dalle sei di pomeriggio. E la parte alta dell'abitato – la piazza del paese – era praticamente irraggiungibile dalle otto in poi.

C'era solo una conclusione possibile, e tutti quelli che erano nella stanza c'erano arrivati prima di Piergiorgio.

L'assassino era ancora in paese.

E, con tutta probabilità, era uno del paese.

Mercoledì mattina

– Mi ha stupito molto, ieri, sentirmi dire che Annamaria Zerbi aveva detto esplicitamente che voleva me per celebrare il suo funerale.

In piedi dietro all'ambone, padre Kene abbassò un secondo la testa, forse per professione di umiltà, forse per concentrarsi, o più probabilmente per tutt'e due. Poi, dopo un attimo, la rialzò, tornando a guardare i fedeli.

Fin dalle prime parole dell'omelia, infatti, il prete aveva abbandonato il tono solenne tenuto nel programma tecnico – preghiera dei fedeli, sacre scritture ecc. – ed aveva iniziato la parte libera rivolgendosi alla gente, e non più al rosone della chiesa, con il suo italiano cantilenante.

– Ma, riflettendoci, mi sono reso conto che avevamo, io e la signora, più di una cosa in comune. La più importante era che eravamo entrambi, come si dice da queste parti, piovuti. Nessuno dei due era nato qui.

Ma la cosa, a giudicare da quanta gente c'era in chiesa, non contava.

Tutto il paese era venuto a dare l'estremo saluto alla signora maestra, e Piergiorgio si guardava intorno cercando di riconoscere, nei volti noti, chissà quali segni di colpevolezza. E vedendo, invece, una sincera e composta commozione.

– E lei questa cosa la sottolineava, chiamandomi in mia presenza come molti di voi mi chiamano quando non ci sono. Padre Nutella.

Commozione negli occhi del Bonacci, che seduto (per una volta) sulla panca in seconda fila stentava a trattenere le lacrime. Commozione nel volto di Stelio e dello staff del ristorante (moglie, figlia, genero), commozione nel volto della famiglia del Giaconi, stretta nella stessa panca che accoglieva con la medesima solida affidabilità la schiena dritta e muscolosa del capofamiglia Rolando, quella solida e dalle spalle quadrate della moglie Maria, e quella gracile e curvilinea, da studioso, del figlio Andrea, che insieme al maresciallo Zandonai occupava la ben misera porzione di sedile lasciata libera dai genitori.

– Il che mi porta a ricordare quella che è sempre stata la dote principale della nostra sorella Annamaria. La sincerità. Sincerità nel dire quello che pensava, sincerità nell'agire come le sembrava giusto. E la sincerità è una cosa buona, e dà buoni frutti.

Il prete si fermò un momento.

– E di questa sincerità, io la ringrazierò sempre. Perché, nel chiamarmi in quel modo, non credo che la sua intenzione fosse di darmi del negro – il prete sorrise un momento – quanto quella di ricordarmi che io non ero di qui, e che per svolgere il mio ministero avrei dovuto, per prima cosa, farmi accettare da voi.

Commozione, anzi, disperazione autentica nelle spalle curve e nella testa incassata di Giulio, l'unico figlio della signora Zerbi, che seguiva la cerimonia solo di presenza, senza alzare il capo e senza fare altro che non fosse, di tanto in tanto, stringere la mano della moglie Elmira, per riceverne una stretta di ricambio e uno sguardo che sembrava dire adesso tirati su che la gente ti guarda.

– Sincerità che le era necessaria per fare il suo lavoro. Per impartire un'educazione che aiutasse i suoi allievi a migliorare, e a diventare uomini. Il mio ruolo, diceva spesso, non è mettere dentro, ma tirare fuori.

L'unico manipolo che sembrava impermeabile alla commozione era il gruppo di rosarianti in cima alla chiesa, prima panca a sinistra, che continuava a sgranare scuotendo la testa con impegno pure durante l'omelia, forse anche per rimediare alla defezione di due elementi portanti.

La signora sindachessa, infatti, conscia del suo ruolo o forse fuori forma dopo la sessione notturna di preghiera mariana di due notti prima, stava seguendo il funerale accanto al marito. Il quale, fascia tricolore e mani giunte, fino a quel momento si era distinto soprattutto per aver clamorosamente ciccato i vari cambi di postura che sottolineavano i passaggi della liturgia, un po' per mancanza di allenamento, un po' perché oggettivamente preso da altri pensieri.

Accanto alla signora sindachessa c'era Emma, con gli occhi rossi e gonfi, che non riusciva a staccare dal proprio ombelico, e dietro di lei la madre e soprattutto il padre, Anteo Caproni, baffoni da sergente dell'esercito austroungarico e cappello stretto in mano, che sembrava uscito direttamente da un racconto di Guareschi.

Sulla loro commozione, e sul loro dispiacere, Piergiorgio poteva mettere la mano sul fuoco; da due giorni ormai si era trasferito a casa del sindaco, su invito del primo paesano stesso, e aveva toccato con mano l'effetto che la scomparsa della signora aveva avuto su tutti gli occupanti della casa. Il sindaco e sua moglie nascondevano a se stessi il dolore, come fa la gente forte, dedicandosi alle loro attività con più lena di prima: e quindi il buon Armando si era messo a spalare, organizzare, trasferire, verificare e spicconare con un'energia da ventenne, mentre la signora aveva trasformato la casa in una specie di mensa dei poveri, ricevendo chiunque si affacciasse a casa del sindaco (non pochi, vista la situazione meteorologica) e propinando a tutte le ore «qualcosa di caldo per tirarsi un po' su». In quanto ad Emma, tirando su anche lei, si era rintanata in chiesa per studiare all'organo il preludio alla cantata funebre «Die Gottes Zeit ist die allerbeste Zeit», di Johann Sebastian Bach, ovvero il pezzo che aveva suonato all'inizio del funerale e che Piergiorgio, pur ignorando di che cosa si trattasse, aveva trovato semplicemente meraviglioso.

– E per questo, oggi, siamo qui prima di tutto per ringraziarla. Voi perché l'avete conosciuta, ed io perché mi trovo qui a vivere fianco a fianco con voi. Voi, che siete il frutto del suo lavoro e della sua voglia di cambiare le cose.

Qui, padre Kene abbracciò con lo sguardo i fedeli tutti, a sottolineare che l'omelia era arrivata alla fine; e, nello stesso momento, le cataratte di Emma si aprirono, e la giovane incominciò a piangere a lunghi singhiozzi.

In chiesa c'era tutto il paese: il martedì, con un lavoro da bufali, le strade interne erano state sgombrate e la parte bassa ricongiunta a quella alta, con l'unica conseguenza che la signora Clelia Centofanti Palla, uscita di primo mattino per andare all'appalto a comprare il pane, era scivolata sull'asfalto glassato della Schiantapetti ed era partita a piedi avanti e testa indietro tipo pilota di slittino lungo la salita, che nel suo caso era stata costretta ad interpretare come discesa, andando infine ad impattare contro il distributore di benzina annesso al negozio. Era una fortuna che la signora Clelia fosse un esempio di sana e vigorosa gente del paese, e che avesse preso lo slittino invece dello skeleton, altrimenti quel giorno i funerali sarebbero stati due.

Mentre i due preti benedicevano la salma, Piergiorgio si guardò intorno un'ultima volta. Tutto il paese. Quindi, siccome nel grande ci sta il piccolo, anche gli abitanti della parte alta; quelli che erano in grado, nel corso della nottata, di entrare in casa Zerbi e di soffocare la signora. Le quali, alla fine, tolto Piergiorgio, erano ben poche persone.

Il sindaco, e annesso consiglio comunale (Stelio e il Buccianti).

La famiglia Caproni, che abitava accanto alla chiesa,

con Emma che aiutava a casa Zerbi e a casa del sindaco.

Il maresciallo Zandonai, di cui non conosceva lo stato di famiglia, e i due preti, che presumeva essere scapoli entrambi.

Più il dottor Biagini, che era in piedi davanti a una colonna, le braccia conserte e il viso da bassotto afflitto.

E Piergiorgio, certo, che aveva finito in quel momento di individuarli tutti.

Ma te guarda lì che casino. Il sindaco, il dottore, la governante, il maresciallo e il prete.

Arrivo nel paese di Asterix, e dopo una settimana mi ritrovo dentro Cluedo.

E comunque, se qualcuno in quella chiesa era un assassino, di sicuro lui non era in grado di capirlo.

Mentre rimetteva lo sguardo a posto, si sentì addosso gli occhi di Margherita.

– Ancora non capisco perché hai voluto che venissi qui – disse sottovoce senza guardare Piergiorgio. – Capisco che tu ci tenessi. L'hai conosciuta, in fondo. Ma io cosa c'entro? Ci passo già otto ore al giorno, in questa chiesa, immersa fra nascite e morti.

Piergiorgio prese tempo.

– Sì, tanto tanto, se fosse stato un battesimo... almeno dopo si mangiava qualcosa.

– Dell'altro? Questi non fanno che ingurgitare. E comunque non mi hai risposto.

– Be', c'è tutto il paese. Nessuno escluso, a quanto so. Saresti mancata solo tu. Una cosa sospetta, non trovi? – disse Piergiorgio, tentando di mantenere il tono leggero. Nel frattempo, la cerimonia era arrivata al termine, e la gente incominciò a incamminarsi lentamente verso l'uscita, con la sola eccezione del prete e di coloro che avrebbero portato la bara in spalla fino al carro funebre.

– Tutti tutti, no – rispose Margherita. – Qualcuno manca. Poca roba, comunque. Guarda strano, trasportano il feretro a spalle.

– In che senso? Mi sembra normale.

– Nel mondo che conosciamo noi, è normale. Visto dove siamo, mi aspettavo che qualcuno lanciasse la bara dall'interno della chiesa direttamente dentro il carro funebre. Scusa, posso farti una domanda?

– Certo.

– Cosa significa che se non venivo sarebbe stato «sospetto»?

Azzo. Lo sapevo che prima o poi facevo la cretinata.

Mentre Margherita lo guardava, Piergiorgio tentò di fare finta di nulla, e voltandosi incocciò lo sguardo del maresciallo, e si sentì improvvisamente piccolo. Tutto il contrario di come si era sentito lunedì, quando aveva ricevuto uno sguardo più o meno analogo.

– Devo farvi una proposta.

In piedi, nel salotto della signora Zerbi, gli altri tre astanti avevano guardato per la prima volta nella stessa direzione: cioè, verso il maresciallo. Che continuò, con tono pratico:

– La cosa migliore sarebbe che nessuno sapesse nulla

di questo fatto. Intendo, che nessuno sapesse nulla del fatto che la signora sembra essere stata assassinata.

– E perché?

Il sindaco stava guardando il maresciallo con aria dubitativa.

– Perché sono convinto che l'omicidio sia stato compiuto nella speranza che passasse come un decesso per cause naturali. Se non fosse stato per il dottore, qui – il maresciallo indicò Piergiorgio – nessuno probabilmente si sarebbe accorto di nulla. La signora aveva problemi cardiaci, e tu, Corrado, non ti sei insospettito per niente quando sei entrato.

Il dottor Biagini grugnì.

– Se mi davi tempo di sollevarla a me, quella palpebra, avrei detto la stessa cosa io per primo, caro il mio Alvise. Comunque sono d'accordo con te, se ho capito dove vuoi andare a parare. Siamo isolati.

– E bravo Corrado. Siamo isolati. Abbiamo la scusa della neve per fare domande a ognuno in modo dettagliato senza destare sospetti. E nessuno se ne può andare dal paese per un bel po'. Il mio dovere è solo quello di avvertire il magistrato, ma per il resto nessuno mi obbliga a rendere pubblica questa faccenda. E se chiedo discrezione e silenzio stampa per facilitare le indagini, il magistrato me li accorderà senza problemi. Dunque, la mia idea è questa: se stiamo zitti tutti e quattro, e intanto io e Armando domandiamo con discrezione, secondo me ne veniamo a capo in un amen. Siete d'accordo?

I tre si guardarono. Anche a Piergiorgio la cosa era parsa ragionevole.

E così, acqua in bocca. Il funerale era stato organizzato in modo normale, non era stata richiesta una autopsia (che si poteva eventualmente disporre in seguito, anche tenendo conto della testimonianza di Piergiorgio) e il tutto aveva seguito le regole usuali della morte a cui, bene o male, prima o poi ognuno si abitua.

Mentre Piergiorgio pensava, per la prima volta dal suo arrivo in paese, a come allontanarsi da Margherita invece che al contrario, la fortuna gli andò apparentemente in aiuto. Con fare calmo, ma imperioso, il maresciallo Zandonai si accostò a Piergiorgio e gli chiese con voce tranquilla:

– Dottor Pazzi, abbia pazienza, avrei bisogno di una informazione da lei. Posso rapirglielo un istante, signorina?

E, senza attendere la risposta, prese Piergiorgio sottobraccio.

Una volta a distanza rassicurante, il maresciallo continuò con tono tranquillo:

– Io e Armando abbiamo terminato di sentire le persone. Per quanto riguarda Stelio e il Buccianti, sono stati con Armando tutto il pomeriggio, poi dopo il consiglio sono andati a spalare la neve, sono andati a cena a casa di Armando, e poi sono ritornati a spalare finché non è andata via la luce. A quel punto sono tornati tutti a casa del sindaco, poi si sono rintanati in taverna a giocare a carte e a guardare il meteo fino alle tre di notte. Infine, vista l'impossibilità di Stelio e del Buccianti di tornare a casa, hanno dormito tutti insieme. Dopo cena le donne, intendo la signora Viola ed Emma, si sono recate a dire il rosario in chiesa, e lì sono rimaste giocoforza fino alle sei di lunedì pomeriggio, fin quando non hanno smantellato il blocco di neve davanti al portone, in compagnia di padre Benvenuto e di padre Kene. Il Caproni è stato a cena con la moglie, insieme con me e con il dottor Biagini; poi, alle dieci circa, io e il dottore siamo andati a casa mia: ci siamo guardati un film e abbiamo fatto quattro chiacchiere fino a tardi. Nessuno dei due, fondamentalmente, aveva voglia di stare solo, domenica sera.

– Un alibi di ferro, il dottore.

– Eh, sì – disse il maresciallo, senza staccare gli occhi da terra. – Non solo il dottore. Anche gli altri.

Forse era un'impressione, ma il tono del maresciallo aveva cambiato colore nell'ultima parte della frase.

– Anche gli altri, dottor Pazzi. Anche gli altri.

E qui il maresciallo guardò Piergiorgio negli occhi. Nel frattempo, il dottor Biagini si stava avvicinando.

– Vede, caro dottore, qui non c'è molta scelta. Secondo me, lei è giovane ed entusiasta, e si è fatto fuorviare da un dettaglio dandogli troppa importanza. E il dottor Biagini, che è una cara persona ma che ha sempre vissuto qui, tra queste colline, si è lasciato, come dire, abbagliare dal suo carisma. Dal fatto che lei è un ricercatore, un universitario, uno studioso. Lasci che le chieda una cosa, e lei mi risponda con assoluta serenità e sincerità.

Piergiorgio sentì i muscoli del collo che si irrigidivano, e non era il freddo.

Se c'era una cosa su cui Piergiorgio non ammetteva discussioni, era la propria competenza. Non sul fatto che potesse sbagliarsi, per carità: tutti ci sbagliamo. Ma nella pratica della medicina, nella scienza che aveva studiato, quello no.

Piergiorgio parlò tentando di mantenere la calma.

– Le rispondo prima ancora che lei mi faccia la domanda: sì. Sono sicuro che la signora è morta soffocata, e che il soffocamento è avvenuto per pressione di un oggetto sulle vie aeree. Le petecchie possono essere dovute a tante cose, ma le ecchimosi sulla mucosa delle labbra no. Insieme, queste due cose dicono che alla povera signora Zerbi è stato premuto un cuscino sulla faccia per un tempo piuttosto lungo. Unite al fatto che la signora – Piergiorgio fece un gesto eloquente, anche se di raggio ridotto, intorno a sé, a sottolineare il posto dove si trovavano – è indubitabilmente morta, questo significa una cosa sola. Omicidio.

Il maresciallo guardò per qualche secondo Piergiorgio, senza mutare espressione. Poi rivolse gli occhi azzurro pallido verso il dottor Biagini. Il quale, senza scomporsi, annuì brevemente, e rimase a labbra strette, in guardia.

Il maresciallo restò con lo sguardo sul dottore, quando iniziò a parlare:

– Ho capito. Allora, visto che la signora è stata indubitabilmente uccisa, ci deve essere per forza qualcuno che ha compiuto quest'atto. E visto che tutte le persone che ne avevano la possibilità hanno un alibi, tranne una, se ne deduce che l'unica persona che può aver ucciso la povera signora Zerbi è l'unica che è priva di alibi e che, guarda caso, per propria ammissione si trovava a casa della signora proprio nell'intervallo di tempo in cui la signora veniva uccisa. Se mi dà un attimo di tempo, vado a parlare con l'appuntato Carrus. Lei, per cortesia, non si allontani da qui.

E, con uno scarto molto militaresco, il maresciallo girò sui tacchi e andò verso un gruppetto di persone poco distante. Il dottore, dopo un altro momento, guardò Piergiorgio, e subito dopo se ne andò anche lui, senza proferire parola, ma con un proverbio nello sguardo.

Chi è causa del suo mal, pianga se stesso.

Non appena il maresciallo se ne fu andato, Margherita si accostò a Piergiorgio con fare da cospiratrice.

– Adesso devi dirmi tutto. Cosa significa che se non venivo sarebbe stato sospetto, per quale motivo per tutta la cerimonia non hai fatto che guardarti intorno, e come mai il maresciallo arriva, ti prende per un braccio e ti parla per dieci minuti con la mano davanti alla bocca come Cassano?

Piergiorgio sospirò.

– Quando ho trovato la signora, in salotto, la mattina...

Margherita fece un piccolo cenno di assenso.

– ... ho notato che la signora aveva la sclera dell'occhio tutta picchiettata da piccole ecchimosi. E c'erano delle altre ecchimosi all'interno delle labbra, in corrispondenza dei denti.

Margherita sorrise, invitandolo ad andare avanti.

– Ok. Per il resto, c'era altro? Altri particolari macabri?

– Ma Cristo, ma non l'hai mai visto un poliziesco?

– No, perc... O Gesù.

Margherita cambiò completamente espressione. Guardò Piergiorgio, che mantenne lo sguardo fisso nei suoi occhi. Poi scosse la testa.

– Non ci credo. Sembrava di essere nel paese più palloso del mondo, e guarda là cosa ti va a capitare. E sei stato proprio te a scoprire il corpo. Non sai mai cosa ti aspetta, nella vita.

Piergiorgio sospirò, di nuovo, guardando da un'altra parte. Margherita si avvicinò di lato e, a mezza voce, chiese:

– Capisco che vogliate mantenere il più stretto riserbo sulle indagini, signori inquirenti, ma anche noi della carta stampata dobbiamo fare il nostro lavoro. Non possiamo fermarci alla fredda cronaca, dobbiamo anticipare gli eventi. Diteci, diteci: è già stato ipotizzato un possibile movente? Sospettate già di qualcuno? La misteriosa spia aliena coi capelli viola vista di recente aggirarsi in paese?

Piergiorgio guardò verso il maresciallo, che stava parlando in modo tranquillo con l'appuntato Carrus, il quale non gli toglieva gli occhi di dosso.

– Alla prima domanda, non so rispondere. Per quanto riguarda la seconda, posso tranquillizzarti. L'unico sospettato, al momento, sono io...

Mercoledì notte

– Sono tante, eh, le stelle?

Piergiorgio tenne lo sguardo in alto.

Gli sarebbe venuto spontaneo dire «milioni di milioni», ma avendo Margherita accanto non lo disse.

Se avesse conosciuto la poesia di Borges, avrebbe potuto citare la bellissima immagine dell'uomo giusto, che si comporta come le cisterne / nel cui liquido specchio si ripetono / soltanto poche immagini ma eterne, e farci un figurone. Non che questo avrebbe aumentato di molto le probabilità di passare, con Margherita, dallo stadio di conoscenza occasionale a quello di conoscenza biblica, ma avrebbe ugualmente fatto un figurone.

Purtroppo, non la conosceva. E così non la disse.

Disse, invece, la prima cosa che sembrava plausibile attendersi da lui in quel momento.

– Anche gli anni di galera che mi aspettano sono tanti, se qualcuno non mi tira fuori da questo casino.

Dopo il funerale, essendo ormai la morte della signora Zerbi Palla ufficialmente diventata violenta, il maresciallo aveva dato ordine che la casa della signora venisse sigillata e che nessuno vi potesse avere accesso. L'appuntato Carrus era stato spedito a casa della signora a ritirare gli effetti personali di Piergiorgio che ancora si trovavano in loco e a portarli a casa del sindaco.

E, qui, Piergiorgio aveva ricevuto il primo ed insperato aiuto da Margherita. Mentre l'appuntato Carrus sciorinava tutto il contenuto della valigia, elencando nel contempo ogni voce con pedanteria, a un certo punto Piergiorgio aveva visto estrarre dalla borsa un computer portatile. Un MacBook Air, per la precisione.

– ... un computer portatile con relativo alimentatore... – aveva detto il solerte milite, poggiandolo sul tavolo e ritornando alla borsa per continuare l'operazione.

Piergiorgio aveva alzato un dito.

Questo non è mio, stava per dire. Questo è della signora...

Ma un'occhiata di Margherita, in posizione dietro Carrus, lo bloccò. E Carrus, tutto intento a tirar fuori, non si avvide che glielo stavano mettendo dentro.

Margherita sospirò.

– «Qualcuno» potresti essere tu. Non ti sembra? O vuoi fare come il tipico maschio italiano, che appena si trova in un casino ci deve pensare la mamma a tirarlo fuori?

– Io vorrei sapere che uomini hai frequentato te. Comunque no, è vero, potrei essere io. In fondo è quello che sto facendo.

– Che *stiamo* facendo, please. Allora, ricapitoliamo. La prima cosa da fare è chiedersi a chi giova tutto ciò. Chi è che trae vantaggio dalla morte della signora. Per dirla in latino, cui prodest?

Piergiorgio si sistemò meglio sul sasso piatto. Nonostante la calzamaglia sotto i pantaloni, faceva un freddo becco.

– Eh, è bello che qualcuno si faccia questa domanda. Il maresciallo, per esempio, non mi sembra se lo sia chiesto.

Il secondo aiuto, Margherita glielo aveva dato quando, poco dopo, aprendo i suoi occhioni verdi, gli aveva detto che non ce lo vedeva proprio a soffocare una vecchietta con un cuscino e che comunque per uccidere la gente ci vuole un motivo, e che quindi lei non credeva assolutamente che Piergiorgio potesse essere responsabile dell'omicidio. In virtù di questo, aveva deciso che lo avrebbe aiutato a tirarsi fuori dai guai, cercando di ricostruire i fatti insieme a lui per capire chi poteva essere realmente stato ad anticipare la fine della povera signora Zerbi Palla.

La prima parte aveva confortato Piergiorgio; la seconda gli aveva messo un po' di ansia.

– E allora chiediamocelo noi. Partiamo dagli indizi che abbiamo, al momento.

– Perché, ne abbiamo?

– Ne abbiamo due, per lo meno. Numero uno, sappiamo che la signora la mattina in cui è stata trovata cadavere aveva un appuntamento con un tale parecchio professionale di cui fortunatamente ti ricordavi il cognome.

– Pezzanera. Me lo ricorderò finché campo. Ho pensato che fosse un cognome piuttosto adeguato alla situazione.

– Vero? Ora, il cognome Pezzanera è un cognome parecchio raro, e tipicamente umbro.

Margherita tirò fuori il tuttofonino dalla tasca e lo mostrò a Piergiorgio.

Il sito su cui era sintonizzato l'aggeggio dava una specie di mappa geografico-genealogica d'Italia, su cui campeggiava uno stivale diviso a regioni con alcuni circoletti rossi larghi e altri stretti, prevalentemente sull'Umbria e sul Lazio.

– Vedi? Nel raggio di cento chilometri da qui, ci saranno al massimo dieci persone che si chiamano Pezzanera. Ora, con un po' di metodo, da domani mi prefiggo di telefonare a tutti i Pezzanera in questione, per vedere un po' se qualcuno di loro aveva appuntamento con la signora Zerbi. E questo è il primo indizio. Il secondo indizio potrebbe essere ancora più promettente.

– Già. Il computer. L'ho settato tutto io, il portatile. Conosco tutte le password della signora.

– Lo so. Ci contavo. Per quello ti ho guardato male, prima, quando stavi per ridare al brigadiere il computer.

– Appuntato. Sai, ero poco presente a me stesso. Non capita esattamente tutti i giorni di essere accusati di omicidio. Tu, invece, mi sembri parecchio lucida. Metodica e attenta. Con questo cervello, è un peccato che tu non abbia fatto una disciplina scientifica.

Capita spesso che, nei rapporti tra maschi e femmine, quello che il postulante XY intende come un complimento venga recepito dalla controparte XX come un vero e proprio insulto.

Dite ad una donna una frase di sincera ammirazione («Ti stanno bene oggi i capelli») e lei immediatamente darà alle vostre parole un significato sottinteso («fino a ieri sembravi un covone») al quale voi non avevate minimamente pensato. Tale assegnazione dei propri timori alle intenzioni altrui da parte della femmina in questione, lo dico alle pulzelle per amor di informazione, è solitamente scorretta, in quanto quando un uomo vi fa un complimento di intenzioni in mente ne ha una sola, e non è sfottervi; casomai, tutto il contrario. Ciò non di meno, questa funzione di completamento automatico della frase è uno dei grandi problemi che affliggono la reciproca comprensione fra uomini e donne, e nella vita di un uomo si ripropone con periodicità avvilente. Come questa volta.

– In che senso? Che per l'arte e la letteratura il cervello non serve? – chiese Margherita, cambiando lievemente tono.

– No, per carità, non intendevo quello – mentì Piergiorgio. – Credo semplicemente che le scienze siano molto più oggettive della letteratura. Una cosa è il bello, un'altra è la verità. Sono due punti di vista diversi, e hanno due scopi diversi. Lo scopo della scienza è trovare invarianti. Cose che non cambiano, aspetti universali del mondo in cui viviamo.

Margherita si voltò a guardare Piergiorgio.

– La pensi davvero così?

Piergiorgio sorrise.

– Sì, più o meno sì.

– Quasi quasi chiamo il brigadiere, pardon, l'appuntato, e gli dico che il computer non è tuo. Guarda che la grande letteratura è grande proprio perché anche in quella ci sono delle invarianti.

Margherita guardò Piergiorgio negli occhi.

– Prima, hai detto che non ti scorderai il cognome del tizio al telefono per tutta la vita, ed è probabile che sia così. Hai vissuto un'emozione talmente forte che i particolari di quel momento ti si sono fissati nella memoria. Le emozioni aiutano a ricordare, e questo è un fatto. Tutti noi ci ricordiamo il primo bacio, per esempio.

Subito dopo aver detto queste parole, Margherita distolse gli occhi da Piergiorgio, e fu un bene. Perché un po' lo sguardo, un po' l'argomento, un po' il tono basso e lievemente soffiato della ragazza, Piergiorgio si era ritrovato gran parte del sangue impegnata in zone piuttosto lontane dal cervello, e mantenere la lucidità cominciava ad essere difficile.

– Ma ci sono altre cose che aiutano a ricordare. Gli odori, per esempio. Hai mai letto Proust?

– No.

– Almeno hai presente come inizia la ricerca del tempo perduto, vero?

– Be', sì. Lo sanno anche i gatti. L'odore della torta Madeleine che gli ricorda l'infanzia e tutte quelle robe lì.

– Bravo. Sette più. Ora, i neuroscienziati lo sanno benissimo che odore e gusto intensificano i ricordi, e che i ricordi sono dipendenti dall'umore e dal momento in cui vengono evocati. Però a livello scientifico lo hanno dimostrato solo negli ultimi anni. Proust lo diceva nel 1913.

Piergiorgio tentò di darsi un contegno.

– Vero. Il gusto e l'odore facilitano l'evocazione del ricordo. Lo ha scoperto la Herz nel 2002, è vero. Però ti faccio notare che mi stai dando ragione. Hai usato la parola «dimostrato». Proust lo ha suggerito, lo ha notato, e magari lo ha anche detto benissimo. Ma senza i cari vecchi scienziati che si sono messi lì, con gli esperimenti e un uso corretto della statistica, sarebbe rimasta un'affascinante ipotesi e basta. Qualcuno ci si sarebbe riconosciuto, qualcuno no. Invece, con un approccio scientifico, stabilisci che è vero. In fondo, la letteratura è piena anche di solenni stronzate mascherate da belle parole. L'*Iliade* è meravigliosa, ma non per questo esistono davvero gli dèi dell'Olimpo. E interpretare la realtà in termini di dèi non darebbe dei gran risultati.

Margherita tacque. Dopo qualche istante, parlò.

– Anch'io so qualcosina di scienze esatte, sai?

– Ne sono lieto. Ma io...

– Per esempio – proseguì Margherita – so che tra qualche miliardo di anni il Sole, che attualmente è una nana gialla, si trasformerà in una cosiddetta gigante rossa, e si espanderà fino a circa cento volte il proprio diametro attuale. Siccome la Terra dista dal Sole meno di tale distanza, secondo la maggior parte degli astrofisici dovremmo venire inghiottiti da una nube di fuoco a circa tremila gradi, il che inibirebbe alquanto la vita sulla Terra, e probabilmente la Terra stessa.

– Lo so – disse Piergiorgio. – Anche questo era stato previsto da qualche romanziere?

– Più o meno. Ci sono milioni di poesie che si basano sul fatto che tutto prima o poi finisce. Però cc n'è anche una molto bella, di Orazio, che inizia così: «Exegi monumentum aere perennius». La conosci?

– No – ammise Piergiorgio, che quando sentiva il nome di Orazio, istintivamente, lo associava a Clarabella, e non ad un poeta latino.

Schiaritasi la voce, Margherità cominciò:

Exegi monumentum aere perennius
regalique situ pyramidum altius,
quod non imber edax, non Aquilo impotens
possit diruere aut innumerabilis
annorum series et fuga temporum.

– Ho innalzato un monumento più duraturo del bronzo – tradusse cortesemente Margherita – più alto delle piramidi, che né la pioggia né il vento, né il passare degli anni e la fuga del tempo potranno corrodere.

Margherita tacque un momento.

– Orazio lo sapeva, che la sua poesia sarebbe soprav-vissuta. E che noi, migliaia di anni dopo, avremmo con-tinuato a leggere le sue strofe. E che quelli che verran-no dopo di noi continueranno a leggerle, per i prossi-mi cinque miliardi di anni, più o meno. La scienza tro-va la verità, va bene, ma devi ammettere che la lette-ratura aiuta a sopportarla.

Mercoledì notte (molto tardi)
o giovedì mattina (molto presto)

Piergiorgio aspettò che il computer si spegnesse, quindi chiuse lo schermo sulla tastiera. Delicatamente, rimise l'oggetto nella borsa. Quindi, si mise la testa fra le mani.

La signora Zerbi aveva effettivamente seguito il suo consiglio («Cambi le password, signora, mi raccomando») e aveva cambiato i codici d'accesso al computer. Quello d'accensione, Piergiorgio lo aveva trovato subito, digitando «Alberto».

Quello della posta elettronica, no. Né subito, né in seguito.

Dopo un'oretta di infruttuosi tentativi, si era arreso ed aveva scritto ad un amico che di maneggi informatici se ne intendeva, spiegandogli che aveva per le mani il computer di una persona defunta e che gli avevano chiesto di risalire ai codici di ingresso, senza specificare che la persona in questione era stata assassinata e che Piergiorgio medesimo era sospettato di averle tolto i sentimenti.

Nel frattempo, smanettando, si era messo a guardare la cronologia di Internet, per curiosare su cosa avesse cercato la signora nei giorni precedenti.

E aveva trovato una cosa parecchio curiosa.

Si era messo d'accordo con Margherita che avrebbero tentato di comportarsi come prima, cioè di incontrarsi praticamente solo per caso, e che avrebbero comunicato riguardo al caso esclusivamente tramite mail.

E, perciò, eccoci qui. Dopo aver preso il proprio portatile, Piergiorgio digitò l'indirizzo di Margherita e cominciò, senza preamboli.

Non riesco ad entrare nella mail. La signora ha cambiato i codici. C'è la possibilità che riesca ad entrarci, ma ci vorrà tempo.

C'è una cosa interessante, però. Ho guardato cosa ha cercato la Zerbi su Google nei giorni scorsi, e fra Bach e canzoni napoletane ho trovato due voci che non c'entravano molto. La signora ha cercato «Leggi Mendel» e «donazioni terreni privati comune».

Sulle leggi di Mendel, è possibile che fosse curiosità. Ne avevo parlato domenica sera, in fondo. Ma se dai a Google «donazioni terreni privati comune» vengono fuori pagine di notizie ed altre di istruzioni e documentazioni legali.

La signora ha guardato solo queste ultime.

Potrebbe non voler dire niente, ma forse può dire qualcosa. Qualche terreno, forse, la signora ce lo aveva.

La risposta non tardò ad arrivare, circa mezz'ora dopo, annunciata da un blimp fluido e beneaugurante che, se avesse sorpreso Piergiorgio nel sonno, non lo avrebbe fatto nemmeno girare sull'altro fianco. Fortunatamente, però, Piergiorgio non riusciva a chiudere occhio quella notte, e così poté alzarsi e interrompere il conto delle pecore, che era costretto ad immaginarsi invece che guardare dal vero per la prima volta da quando era arrivato a Montesodi.

Ottimo. Visto che abiti a casa del sindaco, vedi di informarti con discrezione sulla cosa. Io intanto domani, oltre a cercare il misterioso Pezzanera, massacro la Conticini per farmi dare più pettegolezzi possibile sulla defunta e su chi la odiava. A quanto ho capito, non dovrebbe trattarsi di tanta gente.

Buonanotte,

Margherita

Spiritosa.

– Gradisce un altro po' di caffè?

Seduto a tavola, una pesca sciroppata sul piatto e due fresche fresche sotto gli occhi, Piergiorgio annuì senza quasi muovere le labbra.

– Ecco qua. Ha l'aria proprio stanca, stamani. E non ha quasi toccato cibo. C'è qualcosa che non va?

No, signora. Sono sospettato di omicidio e stanotte ho dormito circa sedici minuti, ma a parte questo tutto bene.

– Non ho dormito molto – trovò la forza di dire Piergiorgio, con la voce rauca.

111

– Le credo, poverino. Tutti i rumori della campagna, un cittadino non ci è abituato, dico bene?

Piergiorgio guardò la signora Viola, senza sapere bene cosa dire, e chiedendosi forse per la decima volta nel corso della sua permanenza se la signora sindachessa fosse completamente scema o facesse solo finta molto bene. La cosa era difficile da decidere comunque, non essendo Piergiorgio un esperto di moda, per cui nei rari momenti in cui i due si trovavano soli finivano sempre per parlare del tempo. Che, va detto, in quei giorni era un argomento meno banale del solito.

Mentre Piergiorgio tentava di non far rimare per forza educato con scontato, si sentì una chiave girare nel portone. La signora Viola sorrise.

– Oh, ecco Armando. Armandooo, vieni a mangiare qualcosa?

Di tutte le apparizioni che Piergiorgio era in grado di sostenere, quella che vide era una delle meno opportune. Il signor sindaco in mimetica, giubbotto arancione da impiegato dell'ANAS, fucile a tracolla e cappellino verde militare, coperto di fango fino alle orecchie.

– Oh, quasi quasi sì, guarda.

– Prima però ti vai a fare una bella doccia e ti vesti ammodino – disse la signora sindachessa passando verso il salotto. – Se mi entri così in cucina ti prendo a forconate.

– Agli ordini. Trovate mica, le chiavi?

– Macché – rispose la signora Viola, scuotendo la testa. – Ho guardato dovunque. Anche in cantina.

– Come sono fatte? – chiese Piergiorgio.

– Un mazzetto così – e la signora Viola delimitò con pollice e indice un pezzetto d'aria di circa cinque centimetri – con un portachiavi di Borbonese, ha presente?

– No.

– Una striscia di pelle maculata grigia e nera – disse il sindaco, affacciato sulla porta. – Una roba che si ritrova facilmente, a patto di essere un'aquila. Appena appena più piccolina di questa – specificò, mostrando con orgoglio un mazzo di chiavi modello San Pietro attaccato ad un moschettone di metallo tinto di viola.

– Eh, guarda, davvero un bell'oggetto – disse la sindachessa. – Mi sono sempre stupita che tu non lo porti al naso. Sarebbe perfetto.

– Io, intanto, le chiavi non le ho mai perse – replicò il sindaco, avviandosi signorilmente verso la doccia.

– Allora, andata bene la nottata?

– Di merda.

– Armando, ti dispiacerebbe essere un pochettino meno sboccato, almeno quando ci sono gli ospiti?

– Sì, cara. Certo. Insomma, non è stato un bel diversivo. Tutta la notte a spargere fieno e granone con un freddo bestia, in mezzo al bosco.

In piedi, davanti alla tavola, il sindaco si stava preparando un panino gigante, mentre guardava fuori dalla finestra. Fortunatamente, il cielo era sereno.

– Granone?

– Eh sì, mio caro. Con tutta la neve che è venuta giù, gli ungulati hanno problemi a reperire il cibo. Allora

113

quei cattivacci dei cacciatori, per evitare che le bestiole vadano a invadere le coltivazioni, prendono il culo...

– Armaa-ndo!

– Scusa cara. Prendono il deretano e vanno a spargere foraggio nella foresta, così il cervo non va a sfasciare i campi e non attraversa le strade di notte in cerca di cibo. Ha mai preso dentro un cervo con l'auto?

– Armando – disse la signora sindachessa, mentre entrava con un nuovo bricco di porcellana pieno di caffè fumante – il signore viene dalla civiltà. Non abita nelle spelonche come noi. In città i cervi non attraversano la strada, sai?

– Comunque, non è difficile da immaginare – rispose il sindaco, abbrancando il panino a due mani e tenendolo ad altezza pancia.

– No, credo di no. Immagino che il parabrezza e tutto il davanti dell'auto ne escano piuttosto male. E perché il fucile, allora?

Benvenuti, che aveva appena attaccato un morso al panone, alzò le sopracciglia mentre masticava. Poi, una volta deglutito, cominciò:

– Anche se lei vive nella civiltà, saprà bene che incontrare un cinghiale non è proprio una cosa bellissima. Di solito, è difficile spiegare alla bestia che sei animato dalle migliori intenzioni. Tende a non ascoltarti. E a caricare, specialmente se è affamato. Allora, siccome non ho mai seguito un corso per torero, se una bestia con le zanne mi carica io prendo e gli sparo. Se ci riesco.

Altro morso al panone, altra pausa.

– L'unica cosa che mi consola è che in questi giorni quel coglione dello Zerbi se la deve fare tutto da solo, la sua tenuta del ca...

– Sarebbe da persone civili andare a dargli una mano – disse la sindachessa, caricando su di un vassoio i resti della colazione di Piergiorgio.

– Ma nemmeno per sogno. Ha voluto fare la tenuta reale, ha voluto andarci a cacciare da solo e invitare i suoi clienti, i signori da Bologna e da Firenze, e proibire l'accesso al resto del paese? E ora sono cavolacci suoi.

– E che succede se non gli dà da mangiare?

– Eh, che succede. Succede che con tutta questa neve la selvaggina se lo va a cercare altrove, il cibo. E se entra nel campo di chi dico io, questo prende e va dal buon vecchio Giulio dello Zerbi e abbatte lui. Del resto, va a colpo sicuro. In questo posto i cinghiali si trovano solo alle Fatte.

– Le Fatte? Sarebbe la tenuta del figlio della signora Zerbi?

– Ora sì. Ora che è morta sua madre, sì. Non che cambi molto, voglio dire. La tenuta era di proprietà della signora, ma di fatto è sempre stata gestita dal figlio. Che da parte sua è sempre stato un emerito...

– Armandooo... – giunse la voce della signora sindachessa dalla cucina.

– Armando un cazzo – disse il sindaco, sottovoce. La signora rientrò con una nuova caffettiera e un vassoio con del pane appena affettato.

– Insomma, la smetti di annoiare il dottore con le beghe di paese? Stamattina deve lavorare, e non ha dormito tutta la notte, poveretto. Lo scusi, eh, ma per lui Montesodi è il centro dell'universo, e se lo lascia partire le racconta tutte le faide di paese dal milleseicento a oggi.

– Non si preoccupi, signora. Non mi annoiano certi racconti.

Anzi.

Giovedì, prima della partita

– Ecco qua.

Su un vassoio d'acciaio, il barista depose sul tavolo due bottigliette di Peroni, ed elevò l'ordinazione al rango di aperitivo appoggiando accanto al posacenere un sacchetto di patatine di marca sconosciuta.

Margherita guardò il pacchetto con sfiducia. Piergiorgio, che nei momenti di tensione si sfogava sul cibo, acchiappò il pacchetto e lo aprì, mettendolo galantemente in mezzo al tavolino.

– Ti stavo dicendo...

Dopo, disse lo sguardo di Margherita.

Dopo aver stappato le bottigliette con l'apribottiglie che teneva alla cintura, Stellone si allontanò e lasciò i due soli. Ciò nonostante, i due continuarono a parlare a voce bassa.

– Insomma, la signora aveva questo terreno, le Fatte, che era la riserva di caccia del marito, e ora è la riserva di caccia del figlio. Il marito, a quanto so, ci andava con tutto il paese, mentre il figlio...

– ... mentre il figlio ci va da solo, perché tutto il paese gli sta su' coglioni. E il paese ricambia.

In piedi alle spalle dei due, Stellone aveva incrementato il livello dell'happy hour con un coppino di olive in salamoia, fornendo contemporaneamente la sua personale opinione su Giulio Zerbi Palla.

Margherita colse l'occasione al volo.

– Non è proprio un simpaticone, vero?

Guardando verso la sala della televisione, dove si stava radunando la gente per la partita (turno infrasettimanale di campionato, che in realtà si era giocato il mercoledì, ma la Fiorentina giocava quella sera per motivi che a Piergiorgio, e non solo a lui, sfuggivano) il barista replicò:

– È più bello che simpatico.

Il che la diceva abbastanza lunga, visto che tra orecchie a sventola, incisivi divaricati e sopracciglio da ciclope il buon Giulio non era proprio un Adone; tanto più avvilente se detto da un barista con la pancia trenta centimetri oltre la cintura, il capello unto e un sorriso pieno di finestre. Che, dopo aver gettato il sasso, nascose la pancia dietro la schiena e andò via, placido.

– Chissà se viene anche lui stasera a vedere la partita – disse Margherita ridacchiando.

– Non ce lo vedo troppo – rispose Piergiorgio, guardandosi intorno.

– Se è per quello non ti ci vedo nemmeno te. Sicuro di non avere di meglio da fare che stare qui a guardare la Fiorentina?

– Come no. Resto a casa del sindaco, che tra parentesi stasera è qui anche lui a vedere la partita, a parlare con la moglie di moda e di tendine. Una delle donne più pallose del pianeta.

– Potresti tentare di metterla sul pettegolezzo. Magari ti diverti.

– Già fatto. Appena si tocca l'argomento «amicizie, inimicizie, parentele e faide interne» si mette a parlare d'altro. Come tutti, del resto – Piergiorgio fece segno col pollice appena accennato verso il barista. – Battute, mezze frasi, proverbi.

– Ho capito. Che ore sono?

– Le otto meno dieci.

– Allora è meglio che ti lasci alla partita, te e tutti gli altri maschi alfa, e che vada a cena. La Conticini mette in tavola alle otto in punto, e se arrivo un minuto più tardi la trovo seduta davanti alla scodella con una faccia che non hai idea.

E stasera la Conticini mi serve in forma, disse lo sguardo di Margherita. Ho grandi notizie per te.

Si potrebbe pensare che, il giorno dopo aver scoperto che in paese c'è stato un omicidio, una partita infrasettimanale di campionato non rappresenti un valido motivo per uscire di casa, e che a qualcuno possa sembrare un po' sacrilego andare al bar a guardare la Fiorentina invece di pensare alle cose brutte della vita. Quel qualcuno, però, non abitava a Montesodi Marittimo.

Piergiorgio aveva passato la serata in mezzo a una settantina di persone urlanti, sotto uno striscione appeso al muro su cui campeggiava la scritta «Montesodi viola nel cuore / chi non corre viola dalle bòtte» con la sua Peroni d'ordinanza in mano, a guardare la partita; e, nonostante questa fosse stata una delle più brutte che avesse mai visto, doveva ammettere di essersi divertito un mondo.

Il tifo degli autoctoni era quanto di più grezzo e scorretto si possa immaginare, e se la prendeva con tutti; con i giocatori avversari (tutti figli illegittimi), con molti giocatori della propria compagine (tutti omosessuali) e, in mancanza di meglio, con l'arbitro (che, con tutta probabilità, doveva essere sposato con la madre di uno dei giocatori della squadra avversaria). Inoltre, nei rari momenti in cui le due squadre, invece di inneggiare al parroco, riuscivano ad imbastire una parvenza di azione coerente, il mucchio dei montesodani cominciava a mugghiare in modo preoccupante e a trascinare le seggiole; e, quando la Fiorentina fece gol, ci furono scene di giubilo dantesche, con gesti dell'ombrello e apprezzamenti entusiastici anche a livello estetico per l'autore del gol (il quale, essendo stato bollato come gay fino a venti secondi prima, forse avrebbe anche apprezzato, se non fossero venuti dal Bonacci).

Se non avesse avuto altri pensieri, Piergiorgio avrebbe probabilmente passato qualche minuto a chiedersi com'era possibile divertirsi in quel modo osceno in compagnia di persone con la metà delle quali si sarebbe vergognato a farsi vedere in giro; quella sera, però, una volta salutato il sindaco, non prima di essersi trovati d'accordo per la millesima volta sul fatto che Jovetic era veramente un fenomeno, e chiusa la porta della propria stanza, Piergiorgio si diresse verso il computer e lo accese prima ancora di mettersi seduto, per vedere se Margherita avesse mandato posta.

E così era.

Ciao arrestando,
porto grandi notizie per te, credo. Andiamo con ordine.
Uno: ho trovato il nostro misterioso signor Pezzanera. Nel giro di cento chilometri, infatti, c'è un solo abbonato sull'elenco con quel cognome. Di nome fa Michele, e di mestiere fa il notaio.
Due: la signora Zerbi ha avuto un violentissimo litigio con il figlio martedì scorso, ovvero due giorni dopo rispetto a quando siamo arrivati. Da quel giorno madre e figlio, secondo la Conticini, non si parlavano. La Conticini lo ha saputo da Emma, che era andata a casa della signora per i servizi ed è entrata nel momento clou, mentre la Zerbi dava al figlio del farabutto senza morale.
A quanto riporta la Conticini, un litigio di questo tipo è epocale; l'ultima volta che la signora ha rimproverato il figlio in modo pubblicamente udibile è stato circa vent'anni fa, quando il rampollo aveva rotto senza nessun motivo e comportandosi da vero bastardo i rapporti con la sua fidanzata di allora, Maria, quella tizia che adesso è sposata con Rolando Giaconi. Insomma, roba che capita una volta a decennio. Non come le scenate che la figlia del Castaldi fa al padre tutte le volte che il pover'uomo rientra ubriaco dal bar, ovvero circa tre volte a settimana, o come altri casi eclatanti di stre-

piti familiari che ti risparmio, ma che mi sono dovuta sorbire per tutta la sera.

Tornando a noi, quale che sia il motivo, mi sembra chiaro che siamo di fronte ad un caso di punizione materna. La nostra redazione, caro imprigionando, sarebbe portata a questa ricostruzione dei fatti: la cara signora Zerbi decide di privare il figlio della sua amata tenuta di caccia, che se ho capito bene da quanto mi dicevi era ancora di proprietà della signora. Per fare questo, contatta un notaio: ma prima che la donazione possa avere luogo, la signora viene soffocata con un cuscino. Se non fosse per il giovane e puntiglioso ricercatore che la signora ospita, la cosa passerebbe senza dubbio come morte naturale.

A questo punto mi domando: cosa faceva il signor Giulio Zerbi Palla mentre la madre veniva uccisa? Ha un alibi?

Buonanotte,

Margherita

PS: Chi ha vinto?

Piergiorgio lesse più volte la lettera, e mano a mano che la leggeva sentiva un senso di trionfo invadergli il petto (in realtà, la cosa era data semplicemente dalla contrazione del diaframma, e dal fatto conseguente che la respirazione si spostava principalmente in sede clavicolare; ma Piergiorgio non faceva il dottore ventiquattr'ore su ventiquattro, e non lo notò).

Quella che fino a quel momento era stata un'ipotesi che tentava di non prendere in considerazione, adesso stava prendendo anche troppo corpo.

Dopo qualche respiro profondo, Piergiorgio si era rimesso al computer ed aveva spiegato a Margherita una cosa che aveva notato quella mattina.

Stamani, facendo i prelievi, mi toccava proprio la famiglia Giaconi. Non so se li hai presenti fisicamente. Per avere un'idea, Rolando e Maria Giaconi sono quei tizi a tre ante che erano accanto al maresciallo, sulla stessa panca, durante il funerale.

I prelievi erano andati bene; a dire la verità Piergiorgio temeva qualche capriccio da Andrea, con quella faccina smunta e quei dentoni con lo spazio in mezzo, e l'aria deboluccia di chi studia troppo e gioca poco. E invece, nessun problema dal ragazzo: così come nessun problema lo aveva dato Rolando, che a giudicare dalla faccia rubizza e dalla gagliarda pulsazione della brachiale doveva avere la minima a centodieci. E nessun problema nemmeno dalla madre, una donna sana e simpatica, dal sorriso ammiccante.

Sorriso ammiccante, appunto, e denti sani. Sani e regolari, senza nessuno spazio nel mezzo. Così come regolari, anche se non sanissimi, erano i denti del capofamiglia.

Senza nessuno spazio fra gli incisivi.

Ora, questo spazio (tecnicamente si chiama diastema) un tempo era creduto essere determinato da un solo gene,

quindi essere tipicamente mendeliano, ed essere di natu-
ra dominante, mentre gli incisivi attaccati erano conside-
rati recessivi. Ovvero, applicando le leggi di Mendel, si cre-
deva che da due genitori con gli incisivi attaccati non po-
tesse nascere un figlio con gli incisivi separati.

Da qualche tempo si sa che non è così: questi caratteri
somatici non sono quasi mai espressione di un singolo ge-
ne, e considerarli dominanti o recessivi in modo esclusi-
vo è errato. Io, che faccio questo mestiere, lo so. Ma mi
domando: la Zerbi lo sapeva?

È possibile, in altre parole, che la signora Zerbi abbia
notato che Andrea Giaconi ha i denti separati, esattamen-
te come suo figlio. E che né Maria né Rolando, i suppo-
sti genitori, hanno tale diastema.

Provo ad azzardare: durante la serata, la signora mi sen-
te parlare di leggi di Mendel, e mi vede elencare le famiglie
che parteciperanno alla sperimentazione. Fra cui la fami-
glia Giaconi. Abbiamo saputo che in gioventù il figlio ha
avuto una relazione con Maria, che adesso è sposata pro-
prio a Rolando Giaconi. Supponiamo adesso che tale rela-
zione non si sia mai interrotta, e che Andrea sia figlio na-
turale di Giulio Zerbi, e che sua madre lo abbia capito o
se ne sia convinta durante la serata. Data la quantità di pal-
chi e soppalchi che la signora ha dovuto sopportare in vita,
non sarebbe strano che una infedeltà coniugale del figlio la
facesse andare su tutte le furie. Da qui, la decisione di to-
gliere al figlio il giocattolino preferito, ovvero la tenuta di
caccia, presumibilmente per donarla al comune.

Questo mi sembra coerente con tutto quello che abbia-
mo detto finora. Purtroppo, coerente non significa vero.

Dobbiamo trovare il modo di capire se Giulio Zerbi Palla ha un alibi inattaccabile o se davvero non aveva la possibilità di raggiungere la casa della madre. La cosa migliore, secondo me, è dire tutto al maresciallo.

La risposta di Margherita arrivò dopo un breve lasso di tempo, che Piergiorgio aveva passato passando e ripassando sullo stesso tracciato circolare, come zio Paperone nei fumetti che leggeva da bambino.

Bene, caro ex arrestando,
le circostanze si fanno stringenti, e questo migliora di molto la tua situazione. Sul mettere a parte il maresciallo delle nostre ricerche, dovremo procedere con molta cautela. Non so se lo hai notato, ma il castello accusatorio in nostro possesso implica che, per farci credere dal maresciallo, dovremo riuscire contemporaneamente a convincerlo che la figlia è un po' puttana, e non so quanto questo potrebbe essere agevole.

Piergiorgio lesse, rilesse e trilesse. Dopo di che, decise di chiedere lumi.

Scusa, non ho capito. Cosa c'entra la figlia del maresciallo?

I lumi arrivarono puntuali, con la risposta di Margherita.

Maria. Maria, sposata Giaconi, è la figlia adottiva del ma-

resciallo, ha sposato sua madre dopo che aveva avuto la fi-
glia. Secondo te perché avevano lo stesso banco in chiesa?

Piergiorgio ci mise un secondo a replicare.

Ma cosa cribbio ne so io. Se non me le dice nessuno cer-
te cose, mica posso immaginarmele…

Venerdì mattina

In un paese piccolo, le abitudini delle persone risultano evidenti in tempo breve. Tanto più se, come Margherita, in virtù del lavoro nell'archivio parrocchiale si gode di un punto di osservazione fisso e privilegiato come la canonica.

Risultava ormai noto quindi alla nostra coppia di improbabili investigatori che la chiesa aveva un manipolo di frequentatori fisso, dalle abitudini granitiche prima di tutto come squadra: il gruppo del rosario, che si riuniva tutti i giorni alle sei di sera per sgranare con precisione metronomica la preghiera mariana in un tempo inferiore ai dodici minuti netti, in modo da poter poi tornare alle occupazioni casalinghe.

Simili prestazioni di gruppo non si ottengono senza curare quotidianamente la preparazione atletica del singolo; e difatti ognuna delle rosarianti si presentava in chiesa da sola, ciascuna con una propria frequenza. Chi doverosa (la signora sindachessa che si confessa ogni venerdì mattina, tranne oggi che non si è presentata), chi assidua (Emma, che ogni giorno passa un paio d'ore in chiesa a suonare l'organo e preparare i cori della domenica) e chi paradossale (la signorina Conticini, che funge da perpetua ufficiosa cambiando i fiori, pulendo le panche e rompendo i coglioni a padre Benvenuto sul fatto che padre Kene sbaglia gli accenti, non sa confessare e va lento sul rosario).

– Che fra l'altro è una cretinata solenne – chiosò Margherita. – Padre Kene parla italiano benissimo. Meglio di tanti paesani.

– Vero. Però una cosa qualsiasi da criticare su chi ti sta antipatico, alla fin fine, è il sogno di tutti i pettegoli. Senza padre Kene, la Conticini perderebbe un valido argomento per andare in chiesa.

– E non sarebbe la sola.

Piergiorgio guardò Margherita in tono interrogativo.

– Ti farei vedere ogni tanto come se lo guarda Emma.

– Ah già. Mi scordavo che il prete è bello.

– Quello sicuramente. Ma non solo. Ho come l'impressione, e per impressione intendo «ci metterei la mano sul fuoco», che tra i due ci sia parecchia simpatia.

Piergiorgio visualizzò per un attimo Emma, con i suoi maglioncini fatti in casa indossati sul dolcevita bianco di lana leggera, sotto cui si indovinavano ulteriori strati di flanelle varie. Se mai qualcuno avesse voluto vederla nuda, avrebbe dovuto lavorare parecchio.

E Piergiorgio, da maschio, cominciava a chiedersi se non ne valesse la pena. Intendiamoci, si sta parlando di un maschio sulla trentina che non toccava boccia da qualche mese e quindi l'astinenza faceva la sua parte, ma non era tutto lì. Guardando e riguardando la ragazza, giorno dopo giorno, Piergiorgio si stava facendo l'impressione che Emma non fosse così timida e scialba come poteva sembrare ad una prima occhiata, ma che tentasse semplicemente di passare inosservata. A volte basta poco.

– Ah, però. Emma e il prete bello –. Piergiorgio ridacchiò. – Non ti sembra un po' troppo romanzesco?

– Di solito odio questi discorsi – e qui Margherita appoggiò le dita sul dorso della mano di Piergiorgio – ma fidati di una donna. Di questa cosa, sono convinta. C'è un'altra cosa, invece, alla quale non so darmi risposta.

E nel dire questo levò la mano, con sommo dispiacere di Piergiorgio.

– E sarebbe?

– Non capisco come questo tizio sia piovuto qui. È colto, parla benissimo, si vede che è uno che ha studiato. Mi ha detto di avere due lauree. Fra l'altro, un giorno abbiamo avuto una discussione su sant'Agostino, e ti assicuro che il ragazzo è preparato. Mi sembra strano che uno così bravo che viene da un altro continente sia finito in questo paese che sarebbe sperso fra i lupi, se non li avessero fatti fuori tutti a fucilate. C'è qualcosa che non va?

– No, scusa. È che speravo che la cosa a cui accennavi avesse qualche attinenza col nostro piccolo problema.

– Capisco. Be', non disperare. Il bersaglio sta venendo allo scoperto. È il tuo turno, 007.

Dalla porticina della canonica, a qualche decina di metri, uscì padre Kene in muta nera attillata e scarpette arancioni. Vedendolo, Piergiorgio si alzò, si tirò su la cerniera del k-way e cominciò qualche piccolo esercizio di stretching.

– Speriamo di riuscire a combinare qualcosa. In tutti i modi, dopo, vedo di andare a parlare col sindaco.

Anche Piergiorgio, piano piano, aveva modificato le proprie abitudini in funzione del paese. E così, un po' perché i prelievi andavano fatti di mattina presto, un po' perché faceva veramente un freddo becco, la corsa mattutina era diventata la corsa dell'ora di pranzo. Questa abitudine si era installata da circa una settimana, il che avrebbe reso più naturale l'approccio che Piergiorgio e Margherita avevano tramato: ovvero, far coincidere gli orari di corsa di Piergiorgio e di padre Kene, vedere se Piergiorgio riusciva ad accostare il prete (o a farsi accostare dal prete, più probabile) e sentire se aveva qualcosa da dirgli sui suoi parrocchiani in generale e su Giulio Zerbi in particolare. Se poteva, in qualche modo, dirgli qualcosa che potesse aiutarlo. E, effettivamente, fu così.

Mentre si godeva la vista degli alberi, giocandoci a sfuocarli con le nuvolette del proprio fiato, si era sentito avvicinare da un incedere felpato e familiare. Speranzoso, aveva impercettibilmente modificato la propria traiettoria di qualche millimetro, incrementando nel frattempo l'andatura, sperando di invogliare così il prelato a rallentare un attimo e fare due chiacchiere.

Invece di sorpassarlo, infatti, padre Kene gli si era affiancato rallentando. Dopo qualche secondo, e dopo averlo guardato bene, padre Kene aveva alzato un dito.

– Dovrei dirle una cosa, se mi permette.

Piergiorgio, dentro di sé, sorrise. Fuori no, anche perché il ritmo che stava tenendo non gli consentiva sforzi ulteriori. Tentando di coordinare la voce col fiatone, disse:

– Prego.

– Lei sta facendo uno sbaglio. Spero che non mi giudichi sfacciato, ma è da un po' che ci penso e ora che l'ho vista...

Padre Kene parlava a voce bassa, ma con ritmo normale. Piergiorgio, guardando davanti a sé, tentò di incoraggiarlo.

– No, si figuri. Anzi. Mi dica pure.

– Lei alza poco i piedi.

– Eh?

– Lei alza troppo poco i piedi. Pesta la strada, invece di accarezzarla. Così disperde energia verso il basso, invece di mandarla in avanti. I piedi devono sfiorare il suolo, non picchiarci come se fosse un tamburo.

– Ah.

– Per fare questo, deve alzare i piedi dietro. La corsa dei piedi finisce all'altezza delle natiche. Lei non arriva nemmeno al ginocchio. Se riesce a fare questa cosa, leva una ventina di secondi al chilometro. Guardi bene come faccio io.

E, apparentemente senza sforzo, le gambe del prete aumentarono il loro raggio e cominciarono a mulinare, con i piedi che toccavano appena l'asfalto e finivano effettivamente all'altezza del sedere del religioso. Che, in una ventina di secondi, scomparve dalla portata di Piergiorgio, lasciandolo solo e col fiato grosso.

Mentre Piergiorgio, parecchio tempo dopo che il prete era scomparso dalla sua vista, procedeva mestamente lungo l'anello che circondava il paese al ritmo di cinque e venti al km, aveva avvertito nuovamente qualcosa che si muoveva dietro di sé. Prima di voltarsi, aveva deciso che se fosse stato padre Kene in procinto di doppiarlo gli sarebbe entrato sulle caviglie in tackle. Poi, si era guardato alle spalle.

Dietro di lui un piccolo branco di daini attraversava la strada in fila indiana, coi codini sventaglianti.

Piergiorgio rallentò la corsa, per poi fermarsi.

Il branco attraversò la strada, perdendosi nel boschetto; ma, dopo qualche secondo, Piergiorgio vide arrivare un piccolo dainetto che si guardò intorno, annusando il ciglio dell'asfalto in cerca di cibo.

Piergiorgio, cercando a tastoni il cellulare in tasca per vedere di scattargli una foto, mosse un passo verso l'animale. Contemporaneamente, sentito il rumore, la bestiola alzò il collo, vide l'umano e con tre galoppate scappò via.

Ecco. Tipico di questo paese. Di solito stanno in branco e ti ignorano. E se li becchi da soli, scappano via.

– Allora, fatta una bella corsetta?

Il sindaco guardò all'interno della canna, decise che era stata pulita a sufficienza e posò lo scovolo.

– Quel che ci vuole.

– Anch'io vado a correre, ogni tanto. La mattina. Mi mette a posto per tutta la giornata. Invece il pomeriggio e la sera non mi piace. Mi sembra che mi spezzi la giornata. Ci sono così tante cose da fare che prendere, cambiarsi, correre, fare la doccia e via...

– Ho visto un branco di daini, mentre correvo.

Il sindaco alzò la testa.

– Ah sì? E dove?

– Su, vicino alla villa del marchese. Cinque bestie e un piccolo.

– Me li descriverebbe?

– Mah, erano daini...

– Di che colore?

– Mah, erano tutti pomellati, tranne uno che era nero, con le corna così...

– Quanto grosso, quello nero?

– Eh, sarà stato così...

E Piergiorgio alzò la mano a un'ottantina di centimetri da terra.

– Ecco una bella notizia, vede. Io l'altra mattina sono stato fuori sei ore senza vedere un cazzo, e lei stamani va a correre e mi becca un branco. Non c'è niente da fare. Chi ha fame non ha pane, e chi ha pane non ha i denti.

Il sindaco prese una bacchettina e ci avvolse intorno uno straccio, quindi iniziò a passare con delicatezza l'insieme dentro la canna del fucile.

Fu Piergiorgio, a quel punto, a prendere in mano la situazione.

– Avrei bisogno di parlarle.

Il sindaco annuì, lentamente.

– Chissà perché, qualcosa me lo diceva.

Il primo paesano continuò a passare la bacchettina all'interno del fucile, senza cambiare espressione.

– Forse si ricorda che, la mattina in cui, poco dopo essere sceso in salotto presi una telefonata per la signora Zerbi.

– Mi ricordo, sì. Un tale che si chiamava Cappanera, o roba del genere.

– Pezzanera, per essere precisi.

– Sì, ha ragione. Pezzanera. Ora mi ricordo.

Il sindaco posò la bacchetta, guardò un'ennesima volta attraverso la canna e si appoggiò il fucile sulle gambe.

– Insomma, Margherita si intende abbastanza di onomastica, e Pezzanera è un nome molto poco comune da queste parti. Nel raggio di cento chilometri dal paese, c'è un solo Pezzanera. È un notaio.

– Ah.

Il sindaco prese uno spazzolino da denti e cominciò a pulire il percussore con estrema delicatezza.

– Questa persona, al telefono, mi disse che a causa della neve doveva rimandare l'appuntamento. In pratica, la mattina in cui la Zerbi è stata trovata morta aveva un appuntamento con un notaio. Adesso, quello che mi chiedevo io...

Il sindaco annuì con lentezza. Preso un piccolo barattolo, spruzzò un pochino di olio, asciugò e richiuse l'insieme con decisione.

– Certo. È logico. Potrebbe avere a che fare con la

morte di Annamaria. Bisogna andare a dirlo al maresciallo. Vuole che l'accompagni?

Nonostante il tono, non era una domanda.

– Sì. Se fosse possibile, sì.

– Buongiorno, parlo con il dottor Pezzanera? Ecco, buongiorno. Telefono dalla stazione dei carabinieri di Montesodi Marittimo, sono il maresciallo Zandonai. Esatto, sì. Avrei bisogno di un appuntamento con lei per chiederle...

Breve silenzio, nel corso del quale il sindaco guardò Piergiorgio e fece un cenno lento e quasi impercettibile di assenso con il capo. Nello stesso momento, l'espressione del maresciallo si era fatta marcatamente più attenta.

– Sì. Esattamente. Allora, intanto, per telefono, lei mi può confermare che la signora Zerbi Palla l'aveva contattata a livello professionale.

Breve silenzio, che fu sottolineato dal sindaco con un gesto a pollice e indice uniti, come a dire «torna tutto».

– No. Certo, non per telefono. Avrei però bisogno di vederla il prima possibile, per cui... Sì, certo. Fra mezz'ora mi trova qui, senza dubbio. Allora l'aspetto. Grazie mille per la disponibilità.

Il maresciallo mise giù il telefono, giunse le mani sulla scrivania e guardò i due con aria assente. Fu il sindaco a parlare per primo.

– Be', potresti almeno ringraziare.

– Mi ha dato un grosso aiuto, dottor Pazzi. Il notaio Pezzanera effettivamente era in contatto con la defunta e aveva un appuntamento con lei per lunedì mattina. Bene, signori. Se ora volete scusarmi...

– Tranquillo, Alvise. Ci leviamo subito dalle palle, così puoi fare il tuo lavoro.

– Sono stato sgarbato, lo so – ammise il sindaco. – Ma il fatto è, dottore, che il buon maresciallo sospettava di lei come possibile autore dell'omicidio, e c'è voluto del bello e del buono per spiegargli che lei non aveva nessun motivo di risentimento verso la signora Zerbi. Che non aveva nessun movente. Si è convinto solo quando gli ho detto che l'avrei ospitata in casa mia. Dopo gli telefonerò, mi scuserò e con la scusa di scusarmi, mi scusi il gioco di parole, gli chiederò anche cosa gli ha detto il notaio.

In cammino verso casa, il sindaco e Piergiorgio procedevano appaiati.

– E glielo dirà? – chiese Piergiorgio.

– Me lo dirà, me lo dirà. Non glielo chiederei, se non fossi sicuro di avere risposta. Ormai sono trent'anni che è qui, il buon Alvise. Lo conosco come se fosse del posto.

– Non è di qui, quindi, il maresciallo?

– Ma manco per l'anima. È di un paesino veneto di quelli spersi fra i radicchi. Trebaseleghe, mi sembra. Piovuto qui di fresca nomina il giorno dopo che l'Italia ha vinto i mondiali, me lo ricordo sempre. E il primo incarico ufficiale fu di andare in farmacia a comprare l'antibiotico per la Maria, la figlia di Teresa. Ragazza madre, di quelle nate incazzate, che non accettava nulla e non si fidava di nessuno.

Il sindaco cominciò a giocherellare con un sassolino, prendendolo a piccoli calci.

– Toccava mandarle la roba coi carabinieri, alla Teresa, per far finta che fosse tutto assistenza dello Stato. E toccò ad Alvise, che le portò il Bactrim. Poi, il giorno dopo, le portò il brodo, il vino e la schiacciata. E tre mesi dopo le portò un anello, e glielo mise al dito. E la Teresa cambiò faccia, e anche la Maria.

– Un tipo deciso, via.

– Dica pure un rompicoglioni. Brav'uomo, eh, ma all'inizio era una roba che non si sopportava. Bisogna riconoscere che si è adeguato presto. Tanto più che qui non è che abbia mai avuto tanto da lavorare. Qualche lite, qualche padre che alza le mani un po' troppo. A volte si ricorda di essere il maresciallo, e gli piace. Ci vuole pazienza. Basta saperlo prendere, dargli importanza... – con un calcetto preciso, il sindaco spedì il sasso in un mucchio di neve – e mi faccio dire anche di che colore ha le mutande.

Piergiorgio intanto era andato avanti a ragionare tra sé, e quando parlò fece il danno.

– Sì. Adesso, bisogna vedere quali sono i termini della donazione. Anche se...

Anche se sono un cretino. Accidenti a me e a quando non penso prima di parlare. Speriamo che non se ne accorga.

– Donazione?

Ecco.

Piergiorgio si voltò verso il sindaco. Inutile tenere nascosto qualcosa.

137

– Sì. Ho quasi la certezza che la signora avesse contattato il notaio per una donazione.

– E, scusi, come lo sa?

Man mano che Piergiorgio procedeva nella narrazione, il sindaco aveva aggrottato le sopracciglia in maniera crescente. Quando ebbe finito, rimase in silenzio per un attimo.

– Questo è meglio che al maresciallo non lo dica.

– No, è meglio di no.

– Se viene a sapere che lei si è tenuto il computer della defunta, la chiude in cella con il Bonacci dopo avergli detto che lei è juventino. E non so se gli darei torto.

– Sì. Mi rendo conto.

– Io la capisco, intendiamoci. Lei si è trovato in una situazione di merda. Sa di essere innocente, sa che il maresciallo la crede colpevole, e vede una possibilità di discolparsi. Ma il fatto che lei sappia di essere innocente, e comportarsi da innocente, non significa che tutti gli altri ne siano convinti. Magari a livello umano sì, ma per il buon Alvise il livello umano non conta molto.

– Be', a quanto mi diceva prima non dovrebbe essere un cattivo diavolo, in fondo...

– Ma per nulla. Le assicuro, può essere una pasta d'uomo. Con chi gli pare, intendiamoci, famiglia in primis. Ma deve fare il suo lavoro, e per fare quel lavoro lì il livello umano ogni tanto va messo da parte. Come fare il chirurgo, o il politico. È chiaro che ogni tanto ti tocca prendere delle decisioni impopolari, e le persone ti malediranno a sangue perché hai tentato di far loro del bene. Il bambino devi tenerlo fermo, per dargli l'antibiotico, perché l'antibiotico fa schifo. Però senza non guarisce.

– Sì, ha ragione. La gente non ragiona, su certe cose. Il sindaco si bloccò, per un attimo.

– Dottor Pazzi, mi permette di darle un consiglio?

– Certo.

– Lei ha un vizio da cittadino. Dice sempre «la gente». Piergiorgio tacque, non sapendo cosa dire.

– Sa cosa diceva un mio amico di Livorno? «La gente, son persone». Ecco, accetti un consiglio da politico: smetta di dire «la gente». Dica «le persone». Può sembrare una questione dialettica, ma non lo è, mi creda.

– No, non credo che lo sia...

– La gente è stupida, le persone ragionano. La gente è indifferente, le persone ti aiutano. Oppure ti affogano, ma comunque interagiscono. Finché uno riesce a pensare agli altri come persone, a vederle come persone, riesce a non rimanere indifferente. È per questo che 'sta storia di Roma non mi convince. Lì la politica si fa senza poter tenere conto di questa cosa.

– E quindi, cosa farà? Non andrà a Roma?

– No, caro mio. Andrò. Andrò e come. Devo dire che fino a qualche giorno fa avevo accettato per dovere, che non ero convintissimo della cosa. Un giorno mi svegliavo per il sì, un giorno per il no.

– E sua moglie, cosa diceva?

– Lei? Lei partirebbe domani, figuriamoci. È un tipo sociale, mia moglie. Agogna la metropoli e l'aperitivo.

Io, invece, starei tanto bene qui. O meglio, stavo. Adesso, devo dire, l'idea di andare a Roma mi solleva.

E si capisce. La gente, è vero, son persone. Specialmente in paese, dove sei nato e cresciuto e le persone le conosci una per una. E una di queste è un assassino.

Venerdì sera

– Bene, dottor Pazzi. Quindi lei mi conferma che, la notte di domenica, è stato chiuso nel suo locale al primo piano, da solo, dalle sei di sera fino alle sette di lunedì mattina, quando ha trovato la signora deceduta in poltrona.

– Esatto. Sì, è così.

– E quindi, abbiamo un problema.

Il maresciallo Zandonai si alzò dalla sedia per ricapitolare.

– Allora, lasci che le ripassi la situazione. Tutte le persone coinvolte hanno un alibi. Siccome rischiavo di incasinarmici, gli alibi sono riportati lì.

E il maresciallo indicò un pannello, diviso a quadrettoni a formare una tabella. In verticale, correvano le ore del giorno, una per quadretto, come una grossa agenda. In orizzontale, ogni colonna della tabella era assegnata ad una delle persone che potevano raggiungere casa Zerbi. L'ultima colonna, chiamata «Giulio», era segnata con un grosso punto interrogativo.

– Armando, cioè il sindaco, insieme con il Buccianti e con Stelio, si sono riuniti in consiglio comunale straordinario alle quattro. Alle sei, hanno cominciato a spalare. Alle otto, sono andati a cena a casa di Armando, e alle nove hanno ricominciato a spalare.

Il dito del maresciallo seguiva l'evoluzione temporale del gruppetto, le cui posizioni erano riportate in tabella con un pennarello rosso, una scritta per ogni singolo componente.

– Alle dieci e quarantaquattro, quando è andata via la luce, il gruppo è tornato a casa del sindaco. Impossibile procedere oltre, e impossibile per Stelio e per il Buccianti tornare a casa, per via della neve. Quindi, i tre sono tornati a casa e sono rimasti insieme e veglianti fino alle tre.

Il maresciallo posò il dito sul secondo gruppetto, descritto in verde.

– La signora Viola, cioè la moglie del sindaco, ed Emma hanno iniziato a preparare la cena alle sei. Alle otto hanno cenato, e alle nove si sono recate in chiesa, a dire il rosario da padre Kenenisa.

Le posizioni di padre Kene, che erano segnate in blu fino a quel momento, da lì in poi diventavano verdi. Evidentemente, le persone che avevano passato insieme un determinato momento condividevano lo stesso colore.

– Padre Kenenisa e don Benvenuto hanno detto la messa alle sei e mezzo, hanno cenato alle sette e mezzo, e hanno fatto i conti delle elemosine. Poi, alle nove, don Benvenuto è andato a dormire. Alle nove e cinque, nove e dieci, la signora Viola ed Emma sono arrivate, e padre Kene si è fermato a dire il rosario con loro. Alle dieci e quarantaquattro, quando è andata via la luce, hanno tentato di uscire, scoprendo che era loro impossibile, perché quel demente del Visibelli aveva liberato la piazza ammucchiando la neve tutta davanti al portale, tanto per fare un dispetto al prete, e l'uscita della canonica era bloccata dalla neve già di suo.

Il maresciallo voltò lo sguardo verso Piergiorgio.

– Lei, che sarebbe stata l'unica persona apparentemente in grado di raggiungere la vittima, non ha un alibi, però non ha nemmeno un movente. Non, almeno, per quanto ne sappiamo. In realtà quello che mi ha convinto, dottor Pazzi, è che se lei fosse stato zitto, nessuno avrebbe saputo che la morte della signora era stata violenta. Per cui alla sua colpevolezza per il momento mi rifiuto di credere. Lasci però che, a questo punto, le illustri bene la situazione.

Il maresciallo si alzò in piedi, e prese una penna tra due dita, assumendo un tono didattico.

– La signora Zerbi è stata uccisa nel sonno. Il referto autoptico su questo è piuttosto categorico. L'assenza totale di segni di lotta, pur tenendo conto della debolezza della persona, non dà altre possibilità. La signora non era stata sedata chimicamente in nessun modo, non c'erano narcotici né altre sostanze comunemente usate per indurre sonnolenza. Quindi, la persona che ha ucciso la signora Zerbi possedeva le chiavi per entrare nell'appartamento. Ad esclusione della signora, le chiavi sono in possesso di altre due persone. Una era lei, che alloggiava presso la signora. L'altra...

Il maresciallo giunse le mani.

– Lei conosce bene Giulio Zerbi Palla, il figlio della vittima?

– L'ho visto una sola volta in vita mia. Anzi, due. Una volta a cena, durante la presentazione del progetto al paese, e una seconda volta al funerale della madre.

– Vi siete mai parlati?

– No. Mai.

Il maresciallo assentì.

– Anche lui sostiene la stessa cosa. In più, ci sono i tabulati telefonici. Lei non ha mai chiamato Giulio, e viceversa. Tentare di provare una eventuale complicità tra voi due sarebbe semplicemente ridicolo. Perché, dottor Pazzi, l'unica persona che aveva un reale interesse ad uccidere la signora Zerbi era proprio suo figlio. E l'altra persona in possesso delle chiavi di casa è esattamente suo figlio.

Il maresciallo puntò il dito verso il tabellone, e Piergiorgio vide la posizione di Giulio, di colore nero in tutti i sensi.

– Il notaio Pezzanera, ieri, è stato decisamente esaustivo. Mi ha mostrato dei documenti dai quali emerge che la signora stava preparando un atto di donazione di un suo terreno, le Fatte, ovvero la tenuta di caccia della famiglia...

Piergiorgio rimase esternamente impassibile, sperando che non si notasse che la giugulare aveva cominciato a pulsare come un subwoofer.

– ... avendo intenzione di destinarle al comune di Montesodi Marittimo.

Il maresciallo guardò Piergiorgio.

– Lei capisce, dottor Pazzi, che questa mi appare come una vera e propria vendetta nei confronti del figlio. Una punizione in piena regola. Tanto più che nei giorni precedenti alla morte della signora, tra lei e il figlio c'erano stati alcuni litigi, uno dei quali piuttosto violento, di cui ho avuto notizia dalla dichiarazione spontanea della signorina Conticini. Mi chiedevo quindi se per caso lei, avendo pernottato a casa della signora, non avesse idea del motivo di questi litigi.

Eccoci. Dai, Piergiorgio. Devi mentire, ma in fondo lo fai per dire la verità.

– Signor maresciallo, è una cosa piuttosto delicata...

– Sì, dottor Pazzi. È chiaro che sia una cosa delicata. Le assicuro che non mi aspetto che madre e figlio abbiano litigato sulla Fiorentina.

Piergiorgio tacque.

– Dottor Pazzi?

– Sì, maresciallo, mi scusi. Debbo premettere che la signora mi ha accennato qualcosa riguardo a dei sospetti che le erano venuti sul figlio. Però, posso solo dirle quello che la signora sospettava.

Tanto, sarà difficile che venga qui a smentirmi.

Man mano che Piergiorgio procedeva con la spiegazione, il maresciallo sembrava dimenticarsi della necessità di respirare. Alla fine del racconto, se non avesse sbattuto le palpebre, Piergiorgio sareb-

145

be andato a tastare la giugulare anche a lui. Dopo un attimo, il maresciallo appoggiò le mani sulla scrivania.

– Lei mi vuole dire che mia figlia ha avuto Andrea fuori dal matrimonio?

– No, aspetti. Le sto dicendo che la signora Zerbi, la defunta, sembrava... – Piergiorgio deglutì – ... sembrava convinta di questa cosa.

– Ha appena finito di dire che è genetica.

– Mi lasci spiegare. Da un punto di vista scientifico, i caratteri che dipendono da un solo gene sono la minoranza. Caratteri somatici come i denti separati, la capacità di arrotolare la lingua o cose simili non sono regolati da un singolo gene, ma da più geni. Per cui, è possibile che da due genitori che non possono arrotolare la lingua nasca un figlio che la sa arrotolare. Ed è possibile anche che...

– Ho capito. Può andare.

– Come le ho detto, però, questa era la convinzione della signora Zerbi. Io ho tentato di spiegarle...

– Dottor Pazzi, per cortesia, mi lasci solo.

Uscito dalla stanza del maresciallo, sudato come un bove, Piergiorgio stazionò per qualche secondo nella sala d'attesa, prima che il solerte Carrus gli aprisse la porta di sicurezza. Piergiorgio, che si era distratto un momento, non fece in tempo ad aprire la porta, e il meccanismo temporizzato la richiuse.

Mentre tornava indietro per chiedere a Carrus se poteva aprirgli nuovamente, sentì la voce del maresciallo:

– Carrus, per cortesia, devo uscire. Se qualcuno mi cerca, sono da mia figlia.

Tre ore dopo questi fatti, tutto il paese sapeva che Andrea Giaconi era figlio di Maria Zandonai e di Giulio Zerbi Palla.

Il sospetto venne indotto dal fatto che, dopo la visita del maresciallo a casa della figlia e del genero, dall'abitazione dello stesso Rolando Giaconi si erano levate delle urla disumane. La voce era indubbiamente quella di Rolando, e le parole si distinguevano con facilità: questo anche grazie al fatto che le parole usate da Rolando erano principalmente due, ovvero a) il nome della città conquistata da Ulisse con uno stratagemma e b) il femminile dell'animale in cui i compagni dello stesso Ulisse erano stati trasformati dalla maga Circe, mentre facevano ritorno a casa. La ripetizione reiterata dei due termini omerici con voce stentorea aveva fatto il resto, e informato con facilità il paese tutto che Maria Zandonai era, dal punto di vista del marito, una grandissima puttana.

Le voci di paese, che trasformano i sospetti in certezze, avevano fatto il resto.

– E così – disse il sindaco, mentre si versava un necessario grappino – sta venendo fuori un casino che la metà bastava, via. Povero Giulio, non lo invidio davvero.

– Falso e bugiardo – disse la signora sindachessa, entrando in sala da pranzo con un castagnaccio grosso come una ruota di scorta.

– Non ho detto che non gli stia bene – replicò il sindaco, iniziando a tagliarsi una generosa fetta di torta. – Ho detto che non lo invidio. Il maresciallo lo sospetta di omicidio, e la moglie sa che è un fedifrago. Ricotta ce n'è mica?

– Subito – disse la signora Viola, ritornando in cucina.

– Senza contare che tutto il paese sa che è uno stronzo – aggiunse il sindaco, approfittando dell'assenza della moglie. – Non è esattamente una posizione invidiabile. No?

– No, in effetti no – disse Piergiorgio. – Ma come avrebbe potuto fare ad arrivare a casa della madre?

– Attraverso la tenuta. Difficile, ma non impossibile. Grazie cara –. Il sindaco si assegnò una generosa dose di ricotta, e cominciò a spalmarla sul dolce. – Ti vuoi sedere un po' qui con noi, invece di fare l'ufficiale di collegamento con la cucina?

– No guarda, ho un bilione di cose da fare – disse la signora allontanandosi di nuovo – con la Emma che ho anche dovuto rimandarla a casa perché non stava in piedi, poverina. Uno non si rende conto a cosa serva una persona che sta in casa finché non viene a mancare.

– Cos'ha Emma? – chiese Piergiorgio per pura cortesia.

– Son due o tre giorni che sta male, poveretta. Mal di testa, stanchezza... Cose di donne. Ma più che altro ha che si dovrebbe dare una svegliata, 'sta ragazza. O meglio, dovrebbe dare una martellata in testa ai genitori e andare via da casa. Gliene han già fatto perdere troppo, di tempo.

– Gente severa, eh?

– Dica pure gente stupida. È che il fratello di Emma, Giovanni, lui sì che è fesso, poveretto. Però, siccome è maschio e primogenito, lo hanno mandato a fare l'università. Figurarsi. Ha ventinove anni e ancora si deve laureare, a quanto so.

– Avevo avuto l'impressione che la ragazza non fosse così...

– Così come? Scema? Ma proprio per nulla, guardi. Ha sentito come suona l'organo? Io non ci capisco un cazzo – disse il sindaco, approfittando bassamente dell'assenza della signora – ma Annamaria, che invece ci capiva tanto, diceva che non era niente male.

– Be', anch'io non sono un esperto, ma in effetti...

– È che è timida. Non parla. E se anche parlasse, in famiglia non la ascolta nessuno. Ma non mi faccia divagare, su – riprese il sindaco, al quale di Emma importava il giusto. – Le dicevo, prima, che attraversare la tenuta con la neve sarebbe difficile, certo, ma non impossibile.

– E quindi secondo lei Giulio Zerbi si è attraversato tutta la tenuta a piedi, di notte, con la neve alta un metro e mezzo, per andare a uccidere la mamma?

– In qualche modo deve aver fatto – disse la signora, rientrando e porgendo la salsiera colma di ricotta a Piergiorgio. – Se non è stato lui, chi vuoi che sia stato?

– Sì, quello è anche vero... – disse Piergiorgio. – Lei che conosce il posto saprebbe, in teoria, che tragitto fare?

– In teoria sì. Bisogna vedere quanta neve c'è in determinati posti. Non dico che sia facile – disse il sindaco. – Ma, conoscendo bene il posto, e con la luna piena, ci sono almeno due modi per farcela.

– Impossibile.
– Ne sei sicuro? Lo escludi?
– Categoricamente.

Dopo aver accavallato le gambe sul pouf, il dottor Biagini si mise in bocca la pipa, completando così adeguatamente l'aspetto da medico di campagna che già aveva, grazie alla cacciatora di velluto a coste e al viso bonario.

– Giulio mi ha chiamato il giovedì per un attacco che gli era venuto durante la notte. Un classico. Bestemmiava per il dolore, gli davano noia anche i refoli d'aria. Lunedì sera, quando sono ripassato, andava già molto meglio, ma non era ancora passato del tutto.

Il sindaco guardò Piergiorgio, che confermò:

– La gotta dà dei dolori atroci. Un attacco acuto, di solito, può durare intorno a una settimana. E in quella settimana non si sta affatto bene.

– Tanto da non camminare?

– Tanto da non riuscire a fare nulla. Se lunedì l'articolazione era ancora iperemica, è escluso che abbia potuto anche solo mettersi le scarpe, la domenica notte.

– Tipico degli stronzi – osservò il sindaco. – Anche da un attacco di gotta riescono ad avere dei benefici. E quindi?

– E quindi, ciao – concluse il dottore, ammiccando col mento. – Sono stato adesso adesso dal maresciallo, dopo che Giulio mi ha chiamato. Capisco che Giulio Zerbi fosse l'unico ad avere un valido movente per uccidere la madre, e che il maresciallo nella propria testa abbia tentato di fargli fare un'impresa da Superman come attraversare le Fatte di notte... – il dottore dette un tiro interlocutorio alla pipa – ... ma, a meno che non abbia assoldato un killer, non può essere stato lui. In nessun modo.

Venerdì, a notte fonda

– In nessun modo?

– In nessun modo.

Seduti sulla solita pietra, Piergiorgio e Margherita guardavano le stelle.

– Questo vuol dire una cosa sola, lo sai.

– Lo so. Che qualcuno ha mentito.

Margherita fece lentamente su e giù con il mento.

– Esatto. A questo punto c'è solo una cosa che possiamo fare.

– Possiamo?

– Possiamo. Io e te insieme. Sai, domani è il nostro ultimo giorno a Montesodi, e a me non piace lasciare le cose a mezzo.

Nemmeno a me. Anche se mi sa che non stiamo pensando alle stesse cose.

– Allora, la mia proposta è la seguente: un bel ripasso. Come facevamo il giorno prima dell'esame. Ci mettiamo qui e ripartiamo dall'inizio. Fatti, dati, ore. E vediamo se qualcosa non quadra.

– Se ti va, volentieri.

Per stare qui con te, tutto quel che vuoi.

– Perché, a te non va?

– Bah, sai, a questo punto non sono né indagato né sospettato. In fondo, potrei anche fregarmene.

Anche il silenzio, a volte, parla.

Fino a pochi istanti prima, Piergiorgio era in grado di avvertire nettamente il respiro di Margherita, lento e regolare. In quel momento, smise di sentirlo.

Dopo qualche istante di insopportabile assenza di rumore, Piergiorgio riempì il vuoto:

– C'è qualcosa che non va?

– Fai te.

– Scusa?

– Fai te. Fino a quando eri accusato, era il problema dell'universo. Adesso, tutto sommato, chi se ne frega. Sono problemi di qualcun altro. Ti sei mai chiesto cosa succederebbe se tutti facessero come te?

– Be', visto che non ho mai ammazzato nessuno, ritengo che il mondo sarebbe un posto migliore.

– Sul fatto che tu non abbia mai ammazzato nessuno, permettimi di dubitare. In fondo sei un medico. E sul fatto comportamentale, intendevo fregartene di quello che succede a sei centimetri da te, se non ti coinvolge direttamente. Salvo poi accettare l'aiuto di chiunque si offra di farlo, quando a essere nella merda sei te.

– Se stai tentando di fare leva sul mio altruismo, credo che tu stia sbagliando indirizzo. Non sono un indifferente, intendiamoci. Semplicemente, aiuto solo chi me lo chiede. Direttamente, e senza ambiguità. Faccio il medico, non faccio il maresciallo.

– Nemmeno te?

– In che senso?

– Mi chiedevo se almeno tu non volessi provare a fare qualche indagine, visto che il maresciallo Zandonai ha smesso.

– Non ti seguo. Più che indagare, cosa poteva fare il maresciallo?

Margherita guardò Piergiorgio.

– Sei mai stato interrogato da un poliziotto o da un carabiniere? Intendo, prima di questa settimana?

– No.

– Io sì.

Spazio vuoto in cui si insinuò la curiosità di Piergiorgio, che venne subito riempita.

– Una ragazzata. Una manifestazione, l'ultimo anno di liceo. Avevamo visto un po' troppi documentari sul '68, e volevamo fare i ganzi. Comunque, sono stata interrogata. E mi ricordo che chi ci interrogava non ti metteva esattamente a tuo agio. Ti interrompeva, ti mordeva quasi le frasi in bocca. Saltava da un argomento all'altro. Ti faceva parlare per cinque minuti, e quando riprendeva sembrava non averti ascoltato. E si vedeva lontano un miglio che non ti credeva nemmeno quando gli dicevi la data di nascita.

Margherita sospirò.

– C'è un motivo per cui fanno così. E ci sono dei principi ben precisi. Chi ti interroga deve farti parlare. Il principio è che più parli, più ti metti nella merda. Quindi, mai fare domande a cui puoi rispondere con un semplice sì o no. Bloccano la conversazione. Mai parlare troppo, o fornire informazioni di riepilogo all'inizio della conversazione. Ti chiarirebbero le idee. Mai far vedere all'interrogato che gli credi, così quello è portato a fornire ulteriori elementi a conforto della propria versione, ed aumenta la probabilità che si contraddica.

Piergiorgio stette zitto un attimo.

– Capisco. No, è vero, Zandonai non si comporta così. Anzi. Sembra quasi che voglia far vedere che ha studiato.

– Ecco. Adesso chiediti perché. Io, visto che a pensar male si fa peccato, ma solitamente ci si becca...

Pausa. Il lampo di un accendino, per un attimo, e poi Margherita ricominciò a parlare.

– ... mi limito a notare che visto che adesso ha scoperto che il nipote è di sangue Zerbi, magari ha anche realizzato che il nipote è l'erede diretto di quel terreno. E in più, come figlio naturale di Giulio Zerbi, potrebbe accampare i suoi diritti. Te lo ha detto il sindaco, no, che il maresciallo ci tiene alla sua famiglia?

Piergiorgio tacque.

– Ma se adesso venisse fuori un processo per omicidio, chissà quando lo vedrebbe, Giulio Zerbi, quel bel terreno. E proprio ora che il genero cornuto sta mettendo su l'agriturismo con annessa tenuta di caccia. Sai com'è, una mano lava l'altra, e tutte e due...

Mai sottovalutare una donna.

Piergiorgio, un po' per natura ma soprattutto per professione, a volte era in grado di ammantarsi di un cinismo pressoché impenetrabile, ma c'erano due cose, tra quelle che una bella ragazza poteva chiedergli, che non poteva rifiutarsi di fare. La seconda cosa era mostrarsi cavaliere. Ergersi a paladino, vendicare tor-

155

ti, raddrizzare soprusi: tutte cose di cui i maschi, chi più chi meno, bramano di mostrarsi capaci di fronte a giovani pulzelle, al fine di rivelare tutto il proprio valore e di poter finalmente ambire alla prima cosa di cui sopra.

E Margherita questo lo sapeva benissimo.

Piergiorgio partì così con il riepilogo della mattinata in questione. Il ritrovamento, le telefonate, gli spostamenti, i discorsi. E dopo circa dieci minuti Margherita lo interruppe, mettendogli una mano guantata ma ugualmente caldissima su un avambraccio.

– Eccolo.

– Cosa?

– Ripeti quello che hai appena detto.

– Da dove?

– Da dove ti pare. Da quando sei entrato in casa del sindaco.

– Dunque, il sindaco si è affacciato a una finestra. Mi ha detto...

– No, scusa. Un po' più avanti. Siete entrati in cucina e...?

– E mi ha offerto un caffè.

Margherita sbuffò.

– Descrivimi la cucina.

– Mah, dunque... è ampia, circa una trentina di metri quadri. In mezzo c'è un tavolo fratino di noce, e...

– ... e ai muri il calendario di Frate Indovino, lo so. Sporca o pulita?

– Pulita. Pulitissima.

– Piatti in giro?

– Niente di niente.

Margherita guardò Piergiorgio, annuendo. Piergiorgio non si mosse.

– E quindi?

– Eh. E quindi?

– Toglimi una curiosità: tu vivi con tua mamma?

– Sì.

– Eccoci. Il tipico maschio italiano che chiama la donna di servizio anche per strappargli la carta igienica. Scusa, cos'hanno mangiato a cena il sindaco e tutti gli ospiti te lo ricordi?

– Sì. La sindachessa ne ha parlato. Pasta alla carbonara, spezzatino di cervo e tiramisù fatto in casa. Roba per tirare su, appunto. Avevano spalato tre ore, e dovevano ricominciare subito dopo cena.

– Ecco. Appunto. E dopo aver preparato e diluviato tutta quella roba, la cucina chi l'ha pulita?

– Mah, la signora sindachessa. O Emma.

– E quando, che secondo il maresciallo le due sono uscite alle nove, appena finito di cenare, per andare a dire il rosario?

Piergiorgio tacque.

– Hai presente quanto tempo ci vuole per pulire una cucina e mettere a posto, dopo che hai cucinato per cinque, e non gli hai fatto i bastoncini di merluzzo? Se sei Flash Gordon, una mezz'oretta come minimo.

– Mah, magari in due hanno fatto prima. Oppure la signora sindachessa puliva man mano che mangiavano. L'ho vista farlo, a volte.

– Sì. Oppure non ti è venuto in mente a te, e quindi non va bene. Il tipico maschio italiano, per l'appunto.

Vagando per il salotto della casa del signor sindaco, Piergiorgio non riusciva a prendere sonno. Un po' perché continuava a pensare a quello che gli aveva detto Margherita, ma soprattutto perché continuava a pensare a quello che non era riuscito a dirle.

Mentre vagava, faceva scorrere lo sguardo sui libri in possesso del suo ospite. Che non erano da disprezzarsi affatto. Molta narrativa, un pochetto di saggistica, tanti libri fotografici, e una parete riservata ai manuali di caccia e di armi. E, in un angolo, un po' di poesia: Dante, Montale, D'Annunzio, Gozzano. La cara vecchia poesia italiana, probabilmente un retaggio della scuola dei bei tempi andati, che si trova in casa un po' di tutti.

Piergiorgio prese in mano un volume, e ne guardò la copertina. Nell'angolo in basso a destra, c'era un ovale rosso con un disegno di una mano femminile, contornata da un polsino che Piergiorgio classificò inconsciamente come vittoriano.

Eugenio Montale, *Ossi di seppia*. Non ho mai letto una poesia di Montale, se non a scuola. Chissà se a Margherita piace?

Piergiorgio aprì a caso, e lesse.

*Felicità raggiunta, si cammina
per te sul fil di lama.*

Agli occhi sei barlume che vacilla,
al piede, teso ghiaccio che s'incrina;
e dunque non ti tocchi chi più t'ama.

Se giungi sulle anime invase
di tristezza e le schiari, il tuo mattino
è dolce e turbatore come i nidi delle cimase.
Ma nulla paga il pianto del bambino
a cui fugge il pallone tra le case.

Piergiorgio si guardò intorno.

Già. Per un bambino, quel pallone è la cosa più importante dell'universo. Non esiste nient'altro. E se gli levi il pallone...

Piergiorgio rimase con lo sguardo fisso sui trofei di caccia del salotto. Voltò lo sguardo, e vide l'armadietto con i fucili, tutti allineati e puliti con cura.

E gli arrivò una martellata in testa.

Per tranquillizzare il lettore, che solitamente in un giallo classico si aspetta una dose di azione limitata al minimo, e si sorprende se nel corso della narrazione un qualche personaggio viene pestato a sangue in diretta, sarà bene specificare che la martellata nel vasto occipite di Piergiorgio era stata solo metaforica.

Mentre il sangue incominciava a fluire più velocemente, Piergiorgio incominciò a ripassare tutte le cose che si ricordava, per vedere se si accordavano con quella possibilità.

Lo strano malore di Emma.

L'emozione della ragazza in chiesa.

E la cucina pulita, certo. Mentalmente, Piergiorgio chiese scusa a Margherita.

C'era una sola cosa giusta che da uomo e da pretendente poteva fare, e cioè ascoltarla, ed era l'unica che non aveva fatto. Il tipico maschio italiano, per l'appunto.

Prendendo il cellulare, Piergiorgio guardò l'ora. Le due e dieci.

Va be': meglio tardi, che mai.

– Permesso...

– Vieni, vieni. Fai pure con comodo, tanto la Conticini quando dorme non la svegli nemmeno con gli U2.

Piergiorgio entrò e si tolse subito la giacca.

– Vuoi un caffè?

– No, guarda, se mi dai anche il caffè rischio di cominciare a vibrare.

– Beato te. Io me lo vado a fare, abbi pazienza. Vieni, così intanto inizi a raccontare.

– C'è poco da iniziare. Avevi ragione.

– Sulla cucina?

– Sulla cucina e su tutto il resto.

– E come fai a saperlo?

– Non lo so. Mi torna, ma ancora non ho le prove dei fatti. Però, prima di tutto, vorrei che tu mi ascoltassi. Se tornasse anche a te, la cosa mi conforterebbe non poco.

Nel corso del racconto, Margherita fece molte domande: la maggior parte all'inizio, poi via via sempre meno. Quando Piergiorgio terminò, rimase muta per parecchi secondi.

– Allora, torna?

– Torna, torna. Hai voglia se torna.

Margherita fece lentamente su e giù col capo.

– E il movente è tipicamente femminile, dai.

– Tipicamente femminile un cazzo. Vorrei vedere a te, se ti levassero il futuro.

– Me ne costruirei un altro.

– Qui, in questo posto? Ma per cortesia. Comunque, non divaghiamo. Secondo me, hai ragione. A questo punto, ho una domanda. Le prove?

– Lo so. Dobbiamo avere la certezza di varie cose. Innanzitutto, di quella che ti ho detto. Se riusciamo ad avere la certezza di quella, vedrai che tutto il resto viene da sé. Ma prima, dobbiamo essere graniticamente certi di quello. Finora, abbiamo detto cose belle e plausibili. Abbiamo fatto letteratura. Adesso... – Piergiorgio si alzò – ... è il momento di verificare l'ipotesi sperimentalmente.

Sabato mattina

– Allora, tutto pronto per la partenza?

– Tutto pronto, Emma, grazie. Devo solo chiudere la valigia.

– Niente cena di addio, quindi.

– No, pare di no. Non sembra che ci sia l'umore giusto.

In piedi, Emma stava spolverando alcuni soprammobili, con scarsa energia e concentrazione, così come con scarsa concentrazione stava mantenendo con Piergiorgio due chiacchiere di pura cortesia. E Piergiorgio, apparentemente impegnato a mandare un SMS a Margherita, aspettava il momento giusto.

Visibilmente, la ragazza pensava ad altro. E stava male.

– Le fa male la testa?

– Un po', sì.

– So che è stata male, in questi giorni.

– Niente di che. Cose che capitano.

– Le fa male anche la pancia?

– Eh, sì... un pochino sì...

– Lasci fare a me. Per queste cose l'ibuprofene funziona benissimo.

– Ma no, non si pre...

– Stia tranquilla, Emma. Sono un medico. Perché si vuole tenere il mal di testa se con una bustina lo manda via?

Dando le spalle alla ragazza, estrasse dalla borsa una bustina e prese un bicchiere dalla mensola. Tenendo gli occhi sullo specchio di fronte a lui, ruppe la busta e ne versò il contenuto nel bicchiere, facendo nel contempo lo sgambetto:

– Di cosa ha paura? Questa roba è innocua, se una non è incinta.

E, nello specchio, vide due occhi che parlavano da soli.

– Ne ha il sospetto, o la certezza?

Emma, continuando a piangere, fece di sì con la testa.

Nella frazione di secondo che Piergiorgio aveva impiegato per voltare la testa, gli occhi della ragazza si erano riempiti di lacrime. Adesso, pur continuando a fare l'imitazione della fontana, per lo meno la fanciulla aveva smesso di singhiozzare, il che rendeva il compito un pochino meno arduo.

– Ne è sicura, quindi?

Emma, sempre piangendo, stavolta fece di no.

– Ne ha solo il sospetto, quindi?

Stavolta Emma fece di sì. Piangendo, è ovvio.

Piergiorgio le mise una mano sul gomito, ovvero uno dei pochi punti che si possono toccare senza infastidire uno sconosciuto, al momento in cui gli si fa una domanda.

– Se lo desidera, ho con me un test di gravidanza. Vuole fare il test?

La pulzella tirò su col naso. Quindi, dopo qualche secondo, fece lentamente sì con la testa.

– Bene, Emma. Il test è effettivamente positivo – disse Piergiorgio, che poi ritenne opportuno specificare: – Il che significa che lei aspetta un bambino.

La ragazza non disse niente.

– Senta, io sono un medico. Sono tenuto al segreto professionale. Però sono anche un essere umano. Da essere umano, al momento le consiglierei un po' di compagnia femminile, possibilmente di persone non del paese. Le va se...

– Sì, per favore. Grazie.

– E bravo il nostro dottor Watson.

– Sherlock Holmes, prego. In fondo l'intuizione l'ho avuta io. Tu hai solo portato quelle sette o otto informazioni necessarie ad avere l'idea giusta.

Margherita prese la tazzina del caffè e se la portò alla bocca. La ragazza era arrivata subito, e aveva preso in mano la situazione con misteriosa saggezza femminile.

Emma era stata confortata, coccolata, ascoltata e adesso dormiva, nel letto di Piergiorgio, probabilmente fiaccata dallo stress.

– Eccoci. Mi sembrava strano che alla fine non ti prendessi tutto il merito. Comunque, caro il mio Sherlock, ti porto altre due informazioni vitali. La prima è quella che pensavi tu. E la seconda è quella che pensavo io.

– Padre Kene?

– Padre Kene.

Che, quindi, era in procinto di diventare padre al quadrato.

– Che fai, ora? Gli telefoni o ci vai?

– Gli telefono e lo faccio venire qui. Sempre evitare gli scontri in casa del tuo avversario. Specialmente se ha un padrone di casa così influente.

Seduto su una sedia, padre Kene non sembrava più così antipatico. Adesso, Piergiorgio lo vedeva bene, sembrava preoccupato.

Il piano era semplice; una volta appurato con certezza che Emma era incinta, e sulla base di quello che Margherita aveva notato, non era difficile ipotizzare che l'organo su cui la ragazza andava a mettere le mani tutti i sabati in chiesa non fosse necessariamente a canna multipla.

Quindi, era logico pensare che il responsabile maschile dell'avvenimento fosse padre Kene, e la conferma non li aveva certo sorpresi. Adesso, però, bisognava muoversi con cautela.

Piergiorgio aveva appena finito di fare a padre Kene quelle due domande necessarie a fugare ogni dubbio, e a cui non era affatto scontato che il religioso volesse rispondere. Padre Kene, invece, aveva risposto ed era stato molto chiaro.

Mentre Piergiorgio lo guardava, padre Kene aveva fatto la sua prima domanda:

– Adesso cosa intende fare?

– Lei è disposto a rispondere alle domande che le farà il maresciallo? A ripetere a lui quello che ha detto a me?

– So che lei non mi crederà – disse padre Kene alzando la testa – ma avevo deciso di presentarmi io di mia spontanea volontà oggi stesso.

Piergiorgio lo guardò, non riuscendo a trattenere il sopracciglio al suo posto.

– Perché solo oggi? – chiese.

– È successo qualcosa. Qualcosa che mi ha fatto pensare.

– Posso chiederle cosa?

– Non sarebbe corretto dirlo. Potrei sbagliarmi.

– Verrà accusato di falsa testimonianza, lo sa?

– Lo so. A questo punto, non è che mi importi molto. Quindi, le chiedo: cosa intende fare?

– Quello che devo fare. Andrò dal maresciallo e lo porterò qui.

– Qui?

– Credo che sia la cosa migliore.

Rispetto alla prima volta, in cui si era dovuto fare quaranta minuti di sala d'attesa in compagnia dell'interessantissima rivista «Il carabiniere», Piergiorgio venne fatto accomodare subito. E quasi subito arrivò il maresciallo.

– Buongiorno Pazzi. Siamo in partenza?

– Sì, quasi. Prima, però, avrei bisogno di parlarle.

– Volentieri. A che proposito?

– A proposito di quello – disse Piergiorgio, indicando il pannello con le tabelle orarie dei sospetti sul muro dell'ufficio. – Temo che alcuni colori, anche se in buona fede, siano stati usati in modo errato.

Il maresciallo, che si stava sedendo, rimase a mezz'aria.

– Mi spiego meglio: alcune delle testimonianze che sono state rese non coincidono affatto con la verità.

Il maresciallo finì di sedersi.

– E lei come lo sa?

– Mi è stato detto dagli autori delle testimonianze. Da uno, in particolare. Padre Kenenisa, o padre Kene che dir si voglia. Se ha pazienza, posso raccontarle.

Il maresciallo, questa volta, interruppe Piergiorgio di continuo. A un certo punto, chiamò anche l'appuntato Carrus per chiedergli una cosa specifica.

Una volta finito il racconto, il maresciallo restò in silenzio qualche secondo. Quindi, premuto un tasto sull'interfono, abbaiò:

– Carrus!

– Comandi – rispose l'interfono, parlando con la voce di Carrus.

– Si prepari a venire con me – disse il maresciallo.

– Scusi, cosa vuol fare? – chiese Piergiorgio.

– Voglio andare a interrogare i testimoni, e ad arrestare il colpevole. O meglio, la colpevole. Se quello che diranno corrisponde a quel che ha detto lei, non posso fare altro.

– Aspetti un attimo – disse Piergiorgio. – Lei può interrogare padre Kene, ma per il momento sarebbe meglio non andare a disturbare Emma.

167

– Non vedo come potrei fare senza – disse il maresciallo, mettendosi il cappotto. – Io devo fare il mio dovere.

– E io devo fare il mio. Dato che stiamo parlando di una vita umana, sia pure allo stato embrionale, e dato che in questo momento la gestante si è affidata a me come medico, come medico le dico che la mia paziente non può in alcun modo essere né interrogata né altro, e che per farlo dobbiamo aspettare il momento opportuno.

Il maresciallo, con il cappotto addosso, si andò a piazzare davanti a Piergiorgio.

– Dottor Pazzi, questo si chiama ostacolare la giustizia.

– No, maresciallo, questo si chiama tentare di comportarsi in modo sensato. Mi ascolti: se lei in questo momento tenta di interrogare Emma, che è sconvolta dall'aver scoperto definitivamente di essere incinta, si troverà di fronte una ragazza paralizzata dalla paura.

Il maresciallo rimase fermo. Non c'era bisogno di specificare ad uno che aveva vissuto nel paese per trent'anni che ciò che temeva maggiormente Emma, pur essendo al momento implicata in un caso di omicidio, era la reazione del padre alla notizia che la figlia poco più che maggiorenne, nubile e docile, si era fatta mettere incinta, e per di più dal prete.

– Se lei, invece, per il momento si accontenta della testimonianza di padre Kene, la quale è più che sufficiente, io le assicuro che la testimonianza verrà avallata da Emma non appena si sarà calmata e avrà ricevuto adeguate rassicurazioni che verrà aiutata a comunicare alla famiglia quello che è successo.

Il maresciallo guardò Piergiorgio. Piergiorgio tentò l'ultima carta.

– Maresciallo, è stato proprio lei a chiederci di tenere nascosta la natura della morte della signora Zerbi per poter indagare più facilmente e destare meno sospetti possibile. Ed è stata una decisione saggia. Adesso è il momento di usare lo stesso criterio, secondo me.

Mamma mia, che ruffiano che sono. Se fossi nato alla corte del Re Sole, sarei stato come minimo ministro.

Il maresciallo guardò il pavimento per un attimo. Poi, lentamente, alzò gli occhi su Piergiorgio.

– E va bene. Mi fido di lei. Ma le assicuro che è l'ultima volta che lo faccio.

Il maresciallo premette di nuovo l'interfono.

– Carrus, per cortesia. Non è necessario che venga con me. Mi porti la cosa che le ho chiesto, e poi aspetti qui una mia chiamata.

Sabato, a casa del sindaco

La chiave girò nella serratura, e il portone venne aperto con tranquillità. Si sentì il rumore della porta che si chiudeva, e la voce del sindaco bella gioviale:

– Insomma, se le hai perse in casa da qualche parte saranno... oh, salve.

E il sindaco e signora erano entrati in cucina, guardandosi intorno.

Oltre alla dotazione standard della cucina (piano fuochi, tavolo fratino, pensili, pavimento ecc.) la stanza presentava un surplus di persone, ovvero un medico, un carabiniere e un prete. Tutti seduti, tutti in attesa, nessuno tranquillo.

I rapporti fra il sindaco e il maresciallo erano ancora sul freddino, evidentemente, visto che quando il sindaco parlò lo fece in modo non esattamente amabile.

– Alvise, posso chiederti cosa ci fai a quest'ora in casa mia?

– Ciao, Armando. Sono venuto a parlare con padre Kene, che era qui ad attendermi.

– Ne sono felice. E perché padre Kene, buongiorno padre...

Padre Kene mormorò un «buongiorno» un po' tronco.

– ... dicevo, perché padre Kene ti aspettava a casa mia, invece che in canonica?

– Perché al piano di sopra c'è Emma che sta male – disse Margherita, arrivando dal piano di sopra con passo felpato.

Il sindaco guardò Margherita, poi padre Kene, poi il maresciallo, mentre la signora Viola guardava il marito come temendo per la sua reazione. Il sindaco, invece, mantenne un aplomb notevole, e infine posò lo sguardo su Piergiorgio.

– Devo dire, dottor Pazzi, che da quando è arrivato in paese non ci siamo annoiati un minuto.

Il sindaco si portò al centro della cucina, di fronte al maresciallo, a braccia conserte.

– Vediamo se ho capito bene: il prete sta aspettando il maresciallo dei carabinieri a casa mia, in cucina, perché al piano di sopra c'è la mia domestica che sta male. Visto che si parla di stanze di casa mia, c'è qualcuno che vorrebbe avere la bontà di dirmi cosa cazzo sta succedendo?

La moglie del sindaco tacque, non rilevando il turpiloquio. Il maresciallo, invece, rispose:

– Ascolta, Armando, sono venute fuori delle incoerenze nelle testimonianze, e degli altri fatti che potrebbero aiutare a risolvere il caso. Padre Kene è venuto a parlarne con il dottor Pazzi, qui...

– Appunto. Perché padre Kene è venuto proprio qui a parlarne con il dottor Pazzi?

– Perché su, in camera mia, c'è la vostra domestica, Emma.

– La quale – spiegò Margherita – è anche legata sentimentalmente a padre Kene.

La signora Viola venne meno al suo nome, sbiancando.

– E sta male – disse padre Kene, con il suo italiano saltellante. – Sta male, perché è incinta di tre settimane.

Forse per l'italiano saltellante del prelato, forse per l'implausibilità intrinseca della situazione, il signor sindaco interpretò male.

– Mi state prendendo per il culo?

– No, Armando. Credo di no. Padre Kene, in via del tutto ufficiosa, avrebbe voglia di rispondere alle mie domande alla presenza di queste persone?

– Certo – rispose padre Kene. – Sono a vostra disposizione.

– Bene – disse il maresciallo. – Allora, signori, posso cominciare, credo.

– Vorrei, prima di tutto, ricapitolare la situazione. Vi pregherei di interrompermi solo se ci sono obiezioni. La signora Annamaria Zerbi Palla è stata uccisa nella notte tra domenica e lunedì da una persona che l'ha sorpresa nel sonno. La signora è stata trovata dal dottor Pazzi, che è un medico, e successivamente il decesso è stato constatato dal dottor Biagini. Abbiamo quindi due medici, che concordano con il fatto che la signora sia stata uccisa in un arco temporale piuttosto ristretto, collocabile tra le dieci della domenica e le due del mattino del giorno successivo.

Il maresciallo si guardò intorno, cercando eventuali obiezioni.

– Ben prima dell'inizio del dato arco temporale, il paese si trovava isolato dalla neve, e la piazza della Chiesa dove il delitto ha avuto luogo è rimasta a sua volta isolata dal resto dell'abitato. Più o meno, dalle sei di sera fino alle otto della mattina successiva. Questo ha permesso di circoscrivere il novero dei sospetti ad un insieme decisamente ristretto.

E qui obiezioni il maresciallo non ne attese, essendo stato testimone diretto e badilante della faccenda.

– L'insieme in questione è quello delle persone fisicamente in grado di raggiungere casa Zerbi. Ovvero il sottoscritto, il dottor Corrado Biagini, Armando Benvenuti, Stelio Carlesi, Emo Buccianti, Anteo Caproni con la moglie, Celia Gallesi, e la figlia, Emma Caproni, Viola Benvenuti, padre Kenenisa Bekile e padre Benvenuto Baldassarri. A queste persone va aggiunto il dottor Piergiorgio Pazzi, che abitava in casa della defunta. Mi riservo di escludere per il momento il dottor Pazzi dall'elenco delle persone indagate, in quanto se non fosse stato per lui nessuno di noi si sarebbe mai fatto venire il sospetto che si trattasse di un omicidio.

Il maresciallo si guardò in mezzo alle scarpe per un attimo, prima di tirare su la testa.

– Ognuna delle persone in questo elenco ha fornito un alibi che ha trovato riscontro nelle mutue dichiarazioni di almeno altre due testimonianze. Resta, però, un fatto: la signora Zerbi è stata uccisa. E io sono qui per escludere che qualcuno di voi possa averla uccisa.

E il maresciallo girò lo sguardo intorno, ormai completamente padrone della scena.

– Annamaria Zerbi è stata uccisa nel sonno, durante la notte. Data la circostanza, sono portato a pensare che, chiunque sia, il colpevole avesse modo di entrare e quindi possedesse le chiavi di casa. In un primo momento, quindi, mi ero concentrato sul dottor Pazzi, poi sul figlio Giulio Zerbi. Entrambi possedevano le chiavi. Ma c'è un'altra persona che possedeva le chiavi di casa Zerbi, giusto?

Il maresciallo fece un cenno verso il soffitto.

– La persona che andava a fare le pulizie in casa Zerbi. Emma Caproni.

Padre Kene annuì, tristemente. La signora Viola sembrava ipnotizzata. Il sindaco si sedette, cercando una sedia a tentoni.

– Dalle testimonianze che mi sono state rese – disse il maresciallo – risulta, come dicevo, che nessuna delle persone fisicamente in grado di raggiungere la casa della signora Zerbi la sera del delitto fosse priva di alibi. In particolare, Emma risultava essere sempre stata in compagnia della signora Benvenuti e di padre Kene, nell'intervallo di tempo in cui la signora venne uccisa. In realtà, alcune delle persone interrogate non hanno reso una confessione veritiera. Giusto, padre Kene?

– È giusto, sì.

– Vuole allora prima di tutto riconoscere che la sua versione dei fatti non era veritiera?

– Sì, certo. Ammetto di aver detto il falso.

– Per quale motivo?

174

– Per proteggere Emma. La persona che amo.

Piergiorgio, fino a quel momento concentrato sul prete, girò lo sguardo intorno. Tutti immobili, tutti attenti.

– Vuole allora raccontarci cosa è successo la sera del diciassette gennaio?

– Certo.

Padre Kene mantenne gli occhi sulle proprie mani, mentre raccontava.

– La sera del diciassette gennaio, Emma mi telefonò poco prima delle nove, per dirmi che sarebbe venuta a trovarmi, e che avremmo potuto stare un po' da soli. La signora Viola sarebbe arrivata dopo, mi disse, per pregare Dio che nessuno avesse a soffrire per la neve. Emma arrivò alle nove e cinque minuti esatti, da sola, e siamo stati da soli fino alle dieci e dieci, circa, quando è arrivata la signora Viola Benvenuti.

– Capisco. Per quale motivo non ha detto subito questa cosa?

– Perché se qualcuno lo avesse saputo, il padre di Emma avrebbe avuto da ridire sul fatto che la figlia si fosse trovata da sola con un uomo. Di don Benvenuto si fidava, di me no.

E dagli torto.

– Bene. Dunque, signora Viola, lei conferma quanto detto da padre Kene? E cioè che lei è giunta in chiesa alle dieci e dieci, circa, e non simultaneamente a Emma?

La signora Viola sembrò risvegliarsi.

– Sì, lo confermo.

– Per quale motivo, allora, ha mentito riguardo ai suoi movimenti nella serata trascorsa?

– Perché volevo proteggere la relazione tra Emma e padre Kenenisa.

– Dunque era al corrente di tale relazione?

– Certo.

Padre Kene si voltò verso la signora sindachessa. Piergiorgio non vide lo sguardo, ma doveva essere eloquente.

La signora sindachessa guardò a sua volta padre Kene con evidente schifo. Poi, con voce controllata, parlò:

– Lo sapevo e come. E lo sapeva anche...

– La signora Zerbi?

– Esatto. La signora Zerbi.

Padre Kene strinse visibilmente i muscoli della mascella.

Il maresciallo giunse le palme, come per riflettere, quindi disse:

– Lei quindi mi sta dicendo che la signora era informata della relazione tra Emma e padre Kene?

– Sì, è così. Annamaria mi disse di aver scoperto la tresca, e di essere intenzionata a rivelare tutto ad Anteo.

Silenzio.

– Povera Emma, suo padre l'avrebbe sfasciata di botte.

Ancora silenzio. Il maresciallo, con delicatezza, parlò di nuovo.

– È per questo, quindi, che Emma avrebbe ucciso la signora Annamaria?

– Sì.

Il maresciallo girò lo sguardo su tutto l'uditorio. Poi, dopo averlo riportato su padre Kene, ce lo lasciò.

Padre Kene stava guardando la signora Viola con un'espressione che decisamente non si addiceva ad un pastore di anime.

– Padre…

Padre Kene restò in silenzio, continuando a guardare la signora sindachessa. Quando parlò, invece di rivolgersi al maresciallo continuò a tenerle lo sguardo addosso.

– Io credevo che lei volesse aiutarci. Dovrebbe vergognarsi.

La signora sindachessa rise.

– Io dovrei vergognarmi? Lei, che è un prete, mette incinta un'innocente che ha la metà dei suoi anni e quella che dovrebbe vergognarsi sono io?

Le labbra della signora Viola invertirono la propria angolazione, e il sorriso si tramutò in una smorfia.

– E non è nemmeno la prima volta, vero? Cosa crede, che non lo sappiamo che lei è stato mandato via da Roma e spedito qui fra i lupi per punizione, perché si montava le suorine indiane? Lo sa tutto il paese, caro mio.

La signora sindachessa si guardò intorno.

– Tutto il paese, incluso il padre di Emma. Ecco perché il nostro buon padre Kenenisa aveva paura a dire che Emma era stata da sola in chiesa con lui.

Margherita e Piergiorgio si guardarono.

Te l'avevo detto io, disse lo sguardo della ragazza.

Padre Kene, dopo uno sforzo sovrumano per non alzarsi dalla sedia, respirò a fondo. Poi, sentendosi addosso più di uno sguardo, parlò.

– Questo è vero, lo ammetto – disse padre Kene. – Ho commesso un errore, una volta. Credo sia venuto il momento di accettare che la volontà del Signore per me non è quella del sacerdozio.

– No, è quella della galera.

Padre Kene guardò malissimo la signora Viola.

– La volontà del Signore, dice lui. Come se gliel'avesse ordinato direttamente Nostro Signore, di farsi prete...

– Ma stia zitta! – esplose padre Kene, e continuò: – Lei non sa nemmeno di cosa parla. Scelta, dice lei. Ma quale scelta? Io sono nato ad Addis Abeba. Almeno, credo di essere nato lì. Di sicuro è lì, per la strada, che mi hanno raccattato le suore. Le figlie della carità di San Vincenzo mi hanno preso, e per prima cosa mi hanno assegnato una data di nascita, perché nemmeno sapevo quando ero nato e quanti anni avevo. Poi mi hanno dato da mangiare e mi hanno fatto studiare. E io non avevo scelta, né la volevo. Volevo diventare come uno di loro, come le prime persone che avessi mai incontrato in tutta la mia vita che non mi prendevano a bastonate.

Padre Kene sospirò.

– Ero il migliore di tutta la scuola, e sono stato mandato a studiare a Roma. E nel frattempo sono cresciuto. Mi sono reso conto di tante cose, che prima non sapevo. Mi sentivo sempre più strette certe promesse, certi obblighi. E nello stesso tempo sentivo di dovere qualcosa a chi mi aveva permesso di crescere. Ho sbagliato una prima volta, per lussuria. E ho sbagliato una seconda volta, per amore.

Il prete alzò la testa, guardando il maresciallo.

– Ma questo non fa di me un assassino. E non voglio essere complice di questa cosa. Non più.

Nel silenzio conseguente, la voce acida della sindachessa uscì netta.

– Ma che bravo. Vuole l'applauso?

Per fortuna (o purtroppo, dipende dai punti di vista) il maresciallo riuscì a scongiurare in un attimo l'insolito ma promettentissimo incontro di boxe, inserendosi con autorità.

– Padre, signora Viola, per cortesia. Se avrete la pazienza di rispondere a qualche altra domanda, vedrete che riusciremo a chiarire tutto –. E rivolgendosi a padre Kene: – Padre, quando lei prima ha detto che ha mentito per proteggere la donna che ama, che cosa intendeva con precisione?

– Intendevo dire che volevo proteggerla dalla reazione di suo padre, come ho detto. Sono rimasto molto sorpreso quando la signora Viola ha detto ad Emma che era meglio raccontare che eravamo rimasti tutti e tre insieme dalle nove ma ci ha lasciato intendere che lo facesse per aiutarci. Per coprirci.

– Infatti – disse la signora sindachessa acidamente.

– Capisco – disse il maresciallo. E dal tono fu chiaro a tutti che credeva in quello che diceva.

Poi, lentamente, e guardando negli occhi il sindaco, ripeté:

– Capisco. Armando, devo farti a questo punto un paio di domande, e poi il quadro sarà completo.

– Eccomi – disse il sindaco, che sembrava l'unico ad aver conservato la calma.

– Quando sei rientrato a casa, domenica notte, hai aperto la porta con la chiave?

– Certo.

– Intendo, hai aperto anche la serratura di sicurezza?

– Certo. Era chiuso. Quando uno esce, e in casa non c'è nessuno, chiude la porta di casa a modo.

– E l'avevi chiusa te, la porta, con la chiave di sicurezza?

– No. C'era mia moglie, in casa.

– E quindi l'ha chiusa lei.

– Certo...

E mentre rispondeva, stavolta fu il sindaco a sbiancare.

Con la massima delicatezza possibile, il maresciallo continuò:

– Padre Kene, vuole avere la gentilezza di dirmi cosa vide fare alla signora Viola quando arrivò in chiesa?

– Certo. Prese un mazzo di chiavi dalla borsa e lo restituì ad Emma.

E Piergiorgio, facendo meno rumore possibile, espirò. Quello era il primo particolare, quello che aveva chiesto ad Emma tramite Margherita.

– Perché lo fece?

– Perché quelle erano le chiavi di Emma.

– Potrebbe descrivermelo?

– Un portachiavi con un pupazzo di gomma, un elfo

blu con un cappello bianco. Emma ci tiene tutte le sue chiavi.

– Tutte le sue chiavi. Quindi le chiavi di casa sua, e quelle delle case in cui va a prestare servizio. Le chiavi di casa Benvenuti e quelle di casa Zerbi.

– Sì, è esatto.

– Il mazzo è attualmente in possesso di Emma, quindi?

– Sì, credo di sì.

– Emma le spiegò perché la signora Viola aveva le sue chiavi?

– La signora Viola gliele aveva chieste in prestito domenica sera, poco prima che uscisse da casa sua, da casa della signora Viola, intendo. Per chiudere la casa quando fosse uscita.

– E perché la signora Viola aveva bisogno delle chiavi di Emma?

– Aveva perso le proprie. Così mi disse Emma.

Il maresciallo si voltò di scatto verso il sindaco.

– Armando, era di questo che parlavi quando sei entrato? Le cose che tua moglie ha perso e che non trova sono le chiavi di casa?

Il sindaco, che ora non era più bianco, ma cominciava ad assumere una tinta più sul vermiglio, annuì senza parlare.

– Ti ricordi, o sai, quando ha perso le chiavi, tua moglie?

Il sindaco, sempre vermiglio, scosse la testa.

Il maresciallo si voltò verso la signora Viola.

– Signora, posso chiederle quando ha perso le sue chiavi?

Anche la signora Viola non era più bianca. Ma, al contrario del marito, parlò.

– Credo lunedì sera, anzi, ne sono certa. In tutto il trambusto per la nevicata, con tutte le cose che avevo da fare...

– Certo, certo. La capisco. Lei è andata al funerale della signora Zerbi, vero?

– Certo.

– Era la prima volta che usciva di casa, vero, da lunedì mattina?

– Esatto. Proprio. Da quando sono rientrata dalla chiesa, dopo che quel bifolco del Visibelli ci ha rintanate, sono rientrata in casa e per due giorni non mi sono mossa. Sono uscita di casa solo per andare al funerale. Bisognava occuparsi della gente. Chi chiedeva questo, chi quell'altro, chi lavorava e aveva fame, o sete, o bisogno di...

Il tono del maresciallo fu cortese.

– Capisco. Sono lieto di dirle che le sue chiavi sono in nostro possesso. Mi sono state riportate in caserma, e le ho qui con me.

E, con affabilità, fece vedere sul palmo il famoso mazzetto di chiavi con la strisciolina di pelle maculata.

– Ah. Bellissimo. Fantastico. Ma dove...

– Sono state ritrovate nel ghiaino, di fronte al palazzo del marchese Alinaro Filopanti Palla. Me le ha riportate il marchese stesso.

– Ma bene...

– Me le ha riportate ieri mattina. Le hanno ritrovate spalando la neve nel cortile.

– Ah. Ma guarda te, a volte...

E il poco colore che aveva ripreso, nel corso della conversazione, se ne andò di nuovo.

Il maresciallo, pur continuando a guardare la signora Viola, quando riprese a parlare lo fece in modo impersonale.

– La neve ha cominciato a cadere domenica, di primo pomeriggio. Domenica sera, queste chiavi erano sotto uno strato di ghiaccio alto un metro. È fisicamente impossibile che siano state perse dopo il tardo pomeriggio della domenica. Quando è uscita di casa domenica sera, signora Viola, lei non aveva più le chiavi.

La risposta della signora Viola fu una marmellata di consonanti biascicata a voce bassa.

– Scusi, non ho capito. Potrebbe ripetere?

– Può essere.

– Può essere. Ma conferma di aver chiesto in prestito le chiavi ad Emma, la sera di domenica?

– Non mi ricordo.

– Ricorda per caso di aver restituito le chiavi ad Emma, quando è arrivata in chiesa?

– No, non mi ricordo.

– Non si ricorda. Posso chiederle che cosa ha fatto, nell'arco di un'ora circa in cui è priva di alibi?

– Ho pulito la cucina.

– Ha pulito la cucina.

Incredulità simulata, nello sguardo del maresciallo. Incredulità autentica, in quella del signor sindaco.

– Un'ora per pulire la cucina?

– Avevo cucinato tutto il giorno.

La voce del sindaco arrivò netta come un'entrata nelle caviglie.

– Basta!

Armando Benvenuti si alzò, con le vene del collo grosse come mattarelli.

– Smetti di fare la cretina! Non lo capisci?

Il sindaco fece un passo verso sua moglie. E improvvisamente cambiò di tono, e si fece quasi incredulo.

– Non lo capisci che hanno tutte le prove che vogliono?

La signora Viola guardò il marito, apparentemente senza riconoscerlo.

Poi, a voce bassa, parlò.

– Sono arrivata a casa di Annamaria verso le nove e mezzo, credo. Volevo parlarle. Ho bussato, e non mi ha aperto. Così ho guardato dalla finestra. Annamaria era in poltrona, e sembrava che dormisse.

La signora, in piedi, pareva essere diventata più alta di un palmo.

– Allora mi sono ricordata di avere le chiavi di Emma, e che nel mazzo c'era anche la chiave che apriva la porta di casa di Annamaria. Allora ho aperto...

La signora Viola guardò il maresciallo, per essere sicura che la seguisse.

Sforzo inutile, dato che erano tutti ancorati alle sue parole.

– ... e l'ho vista in poltrona, che dormiva. Tranquilla, beata. Stava bene, lei. Ci stava bene, in questo paese del cazzo.

Detta dalla signora Viola, la parolaccia sembrò ancora più greve.

– Lei che veniva da Napoli, da una città grande, dove c'era tutto quello che voleva, era venuta a rintanarsi qui. E adesso...

– Un attimo, signora. Per quale motivo era andata a trovare la signora?

– Per la donazione.

– La donazione?

– La donazione con cui la signora voleva lasciare al comune la gestione delle Fatte.

– Da chi aveva saputo della donazione?

Domanda inutile, ma necessaria.

– Da Emma. Mi aveva detto di aver sentito il litigio, e che in seguito...

La signora ebbe quasi un'esitazione. Poi, in un attimo, la scacciò.

– ... in seguito ha sentito Annamaria che telefonava al notaio e gli chiedeva un appuntamento. Mi ha parlato in dettaglio della telefonata. Emma era una presenza così, in casa – disse la signora Viola, tristemente – quasi non ci si accorgeva che ci fosse. Era una persona di casa, per lei.

– Capisco. E di cosa voleva parlarle, quella sera?

– Volevo parlarle, chiederle di lasciar perdere, di perdonare il figlio. E di lasciar perdere la donazione. Ero andata per parlare, lo giuro. Ma quando l'ho vista dormire, lì... mi è quasi venuto automatico. Ho pensato che stava male da tempo... Che non avrebbe vissuto a lungo... Ho preso il cuscino...

La voce di padre Kene si inserì sofficemente, con il tono di chi comprende:

– È per questo che non è venuta a confessarsi, venerdì scorso?

Senza guardare il prete, la signora annuì, debolmente.

Il prete rivolse lo sguardo verso il maresciallo, come per mettere in chiaro che era quello il particolare che aveva notato, e che lo aveva fatto sospettare della signora sindachessa.

A quel punto, fu il sindaco a rompere il silenzio.

– Ma perché?

– Ma perché?

Il sindaco aveva ripetuto la domanda, con un filo di sgomento nella voce. La signora sindachessa si voltò lentamente verso il marito, e la sua espressione virò.

– Perché? Perché?

La signora cominciò ad avanzare verso il marito.

– Ti svegliavi tutte le notti. Sai, non so cosa fare. Resto o vado? Resto o vado? Mi hai rotto le scatole due mesi. E io, che facevo finta di nulla. Che non mi importasse. Poi, un giorno, vieni e mi dici: ho quasi deciso. Accetto la candidatura. Ti va di andare a vivere a Roma?

La signora fece un altro passo verso il marito.

– Mi va? Come se tu non lo avessi saputo, che io avrei ucciso per andare a vivere in città. E che città. E poi, una settimana dopo, questa decide di donare al comune la più bella riserva di caccia della regione! Dimmi un po', cosa mi hai detto l'altro giorno, a cena, quando hai saputo della donazione? Dimmelo!

Il signor sindaco, continuando a guardare la moglie, non rispose. Lo fece lei per lui, come le brave mogli di tutto il mondo.

– Mi ha detto che se Annamaria avesse fatto in tempo a completare la donazione, avrebbe fatto una riserva di caccia demaniale, e si sarebbe messo in pari degli anni persi.

La signora sindachessa si fermò. Spostò lo sguardo dal marito, e lo girò sugli astanti.

Piergiorgio chinò gli occhi, come quasi tutti, e si ritrovò a rivedere le stesse immagini che gli erano passate nel cervello la sera prima.

La pelliccia.

Il bridge.

Il vestito sgargiante con cappellino reale a una sagra di paese.

Il signore viene dalla civiltà, non vive nelle spelonche come noi.

Piergiorgio aveva ancora lo sguardo verso terra, quando sentì la signora sindachessa confermare.

– E io, invece che a Roma, mi sarei ritrovata di nuovo qui. Inchiodata per tutta la vita a questo paese di merda.

Detto questo, respirò a fondo, e riportò gli occhi truccati sul marito.

– Adesso l'hai capito perché l'ho fatto, coglione?

A Pisa, qualche mese dopo

– Io prendo un Americano. Te?

– Per me uno spritz. Grazie. Aspetta...

– Lascia, lascia. Faccio io.

Margherita posò borse e borsine, frutto di una faticosa giornata di shopping, su di una sedia e partì alla volta dell'interno mentre Piergiorgio, invece di guardarle il posteriore, si guardava intorno, godendosi il casino incoerente di piazza delle Vettovaglie. Gente multicolore, appena tornata dal lavoro (parecchia), appena giunta sul posto di lavoro (non poca, e non si parla solo di baristi) o in cerca di consolazione dopo un'ennesima giornata senza lavoro (sempre di più), che si ritrovava a fine giornata a prendere un aperitivo.

Mentre si guardava intorno, Piergiorgio si stava inconsapevolmente avvicinando al momento in cui avrebbe cominciato a riflettere su come fosse cambiata la piazza da quando lui era bambino. Per fortuna, un attimo prima arrivò Margherita con un vassoio, recante due bei calici pieni di quella che sembrava una versione liquida della maglia dell'Olanda.

– Mi sono presa uno spritz anch'io. Allora, come va?

– Eh, non c'è malaccio.

– Allora, vieni stasera a cena con noi?

– Eh, mi sa che non posso. Stasera sono ai lavori forzati. Sono tornato ora ora da San Francisco e sono indietro in modo vergognoso. Dobbiamo chiudere la domanda per il finanziamento europeo e ho le bozze di un articolo da rivedere. Possiamo fare io e te domani sera, se ti andasse...

– Eh, domani non posso io. Devo andare a Piombino a una conferenza.

– Piombino?

– Eh sì. Mica sono tutti fortunelli come te, che vanno a San Francisco, la città dell'amore fraterno. Com'era?

– Ti dirò, l'ho vista poco. Ero a un congresso, col Ferroni. Mai andare a un congresso col tuo capo, se è un maniaco del lavoro. Solo l'ultimo giorno siamo andati un po' in giro. Mi ha portato in un ristorante cinese dove c'era letteralmente la fila fuori.

– Ah, quindi eri col grande capo. Avete parlato anche del progetto?

Piergiorgio si prese un bel sorso di spritz, per consolarsi.

– Sì. Sarà un casino. Sono venuti fuori i problemi che ci aspettavamo. Trentanove per cento.

– Come?

– Trentanove per cento. Il trentanove per cento dei montesodani non è figlio del marito della propria mamma.

– Però.

– Vero? Già prima la statistica, secondo me, era ai limiti. Così, temo che non abbia veramente senso. Ho come l'impressione che i montesodani, intesi come gruppo, inizino a perdere senso. E invece, come singoli, come stanno?

– Bene. Meglio. Guarda te.

E Margherita tirò fuori l'iPad, ci tracciò sopra due gesti cabalistici con le dita e mostrò a Piergiorgio una foto.

Padre Kene, finalmente sorridente, abbracciava da dietro una ragazza che avrebbe potuto essere Emma, se non avesse avuto cinque chili di più addosso e trentadue denti di più in viso. Padre Kene in nero, Emma in avorio. E un cerchio d'oro all'anulare di entrambi.

– Sono belli, vero?

– Sì, devo ammetterlo.

Piergiorgio mandò giù un altro po' di spritz.

– Insomma, l'età media del paese si è abbassata considerevolmente da quando siamo arrivati, via. Il mistero della vita che si perpetua. Per quanto riguarda il mistero della forza, invece, rimarrà un mistero, appunto.

Margherita guardò Piergiorgio con aria compiaciuta.

– Un mistero per la scienza, forse. Ma non per gli amici. È per quello che ti avevo chiamato. Volevo farti vedere una cosa.

Margherita riprese l'iPad, e cominciò a cercare.

– Mi aveva incuriosito il fatto che il cinquanta per cento di quelli che si chiamano Palla di secondo nome fossero forzuti. A partire dal lottatore, fino al povero Alberto, chi portava Palla in aggiunta al cognome una volta su due era una bestia disumana. L'avevi notato?

– L'avevo notato, l'avevo notato. Questo rafforzerebbe l'ipotesi della base genetica, se non fosse per un piccolo particolare.

– Esatto. Ti chiedi se l'iniziatore della stirpe, ovvero il buon marchese Aspasio che andava a trombare in qua e in là, fosse un uomo eccezionalmente forte. Questo, purtroppo, non potremo mai saperlo. Ma in compenso sappiamo un'altra cosa.

– Davvero? E cosa?

– Sappiamo che in quel periodo, in paese, c'era una persona eccezionalmente forte. E ne ho trovato una fotografia, nell'archivio della parrocchia.

Margherita prese l'iPad, e lo voltò verso Piergiorgio con un gesto da prestigiatore.

– Ti presento don Icilio Diotallevi, parroco di Montesodi Marittimo dal 1860 al 1899.

Incorniciato dall'iPad, e per nulla stupito di venire catapultato nel ventunesimo secolo, un volto di un'altra epoca squadrò Piergiorgio, con l'aria solenne delle foto di una volta. Un volto serio e deciso, dagli occhi acuti, con un naso aquilino, mascelle forti e fronte spaziosa.

E con due orecchie a sventola clamorose, grosse come un piattino da caffè, che sembravano manici per la testa.

Piergiorgio guardò la foto. E gli vennero in mente le parole del diario del prete.

Poi guardò Margherita, e cominciarono a ridere entrambi.

Tanto per dare un'idea

Per sapere cosa è successo dopo che abbiamo lasciato il paese di Montesodi, dopo così tante parole, alcuni numeri basteranno.

Ventinove: il numero di disegni di legge presentati da Armando Benvenuti dal giorno del suo arrivo a Roma in qualità di senatore. Tale ritmo di lavoro, che gli è valso vari soprannomi (non tutti positivi), non gli consente di rientrare a Montesodi nemmeno per i fine settimana.

Quattro: il numero di ciocche colorate di viola che campeggiano sulla chioma nera di Giovannina Fantozzi Palla, figlia di Stellone Fantozzi Palla, finora noto come «Stellone il grezzo».

Trecentododici: l'estensione in ettari dell'azienda faunistico-venatoria «Il Curvone», nata dalla fusione dell'agriturismo della famiglia Giaconi con la tenuta «Le Fatte», di proprietà di Giulio Zerbi Palla.

Tremilaseicentoventisette: il peso in grammi di Antonella Tirunesh, figlia di Kenenisa Bekile e di Emma Caproni, nata a Firenze dove i due vivono da qualche mese. Lui dà ripetizioni di latino, lei di solfeggio e pianoforte.

Due: il numero di montesodani che hanno deciso di iscriversi all'università alla fine del liceo, dopo la visita di Piergiorgio e Margherita. Maria Pia Castaldi, affascinata dalla genetica, si è iscritta a Biologia; Francesco Catorcioni, affascinato da Margherita, si è iscritto a Lettere.

Milioni di milioni: il numero di stelle che si vedono in cielo dalla collina del paese. E che in città, a causa delle luci artificiali, né Piergiorgio né Margherita sono in grado di vedere più.

Per finire

Ancora una volta, per scrivere questo libro ho dovuto saccheggiare le conoscenze di parecchi miei sodali. Ringrazio quindi Fulvio Baldo (consulenza venatoria), Serena Del Turco (consulenza genetica) e Francesco Massart (consulenza di entrambe, visto che si parla di un genetista che nel tempo libero sparacchia ai cinghiali).

Ringraziamenti anche ai miei editor privati: Virgilio, Mimmo e Letizia, ed alla new entry Massimo, che essendo l'unico senza figlioli è stato anche l'unico a darmi indicazioni in tempo decente.

Ulteriori ringraziamenti ai miei concittadini di Olmo Marmorito, ai quali ricordo che, nonostante la fama, continuo ad apprezzare sia il bel calcio sia le acciughe al verde di Don Ruffinengo, e quindi si preparino per il derby.

Ringrazio Piergiorgio e Virgilio, per avermi a suo tempo fatto capire con l'esempio e non con i discorsi che uno poteva essere uno studioso di scienze pure e contemporaneamente essere una persona sana e interessante.

Infine, la cosa più importante.

La trama di questo libro è in gran parte frutto della

fantasia malata di mia moglie Samantha. Se per gli altri libri la ringraziavo, stavolta un semplice ringraziamento non basterebbe. Ci vorrebbe un altro libro, come minimo.

Indice

Milioni di milioni

Questo volume è stato stampato
su carta Palatina
delle Cartiere Miliani di Fabriano
nel mese di ottobre 2012
presso la Leva Arti Grafiche s.p.a. - Sesto S. Giovanni (MI)
e confezionato
presso IGF s.p.a. - Aldeno (TN)

La memoria